Envie de...
cuisine méditerranéenne

Bath · New York · Singapore · Hong Kong · Cologne · Delhi · Melbourne

Copyright © Parragon Books Ltd
Queen Street House
4 Queen Street
Bath, BA1 1HE
Royaume-Uni

Conception et réalisation : Terry Jeavons & Company

Copyright © Parragon Books Ltd 2007 pour l'édition française
Réalisation : InTexte, Toulouse

ISBN : 978-1-4075-1047-7

Imprimé en Chine
Printed in China

Une cuillerée à soupe correspond à 15 à 20 g d'ingrédients secs et à 15 ml d'ingrédients
liquides. Une cuillerée à café correspond à 3 à 5 g d'ingrédients secs et à 5 ml d'ingrédients
liquides. Sans autre précision, le lait est entier, les œufs sont de taille moyenne et le poivre
est du poivre noir fraîchement moulu. Les temps de préparation et de cuisson des recettes
pouvant varier en fonction, notamment, du four utilisé, ils sont donnés à titre indicatif.

La consommation des œufs crus ou peu cuits n'est pas recommandée aux enfants, aux
personnes âgées, malades ou convalescentes et aux femmes enceintes.

Envie de...
cuisine méditerranéenne

introduction

La mer Méditerranée fait partie de l'océan Atlantique. Elle couvre une vaste superficie encerclée par les terres, avec l'Europe au nord, l'Afrique au sud, et l'Asie à l'est. Parmi ses pays limitrophes, citons l'Espagne, la France, l'Italie, la Grèce, la Turquie, le Liban, l'Égypte, la Tunisie et le Maroc.

Ce qu'il est désormais convenu d'appeler « le régime crétois » est paré de nombreuses vertus diététiques, reconnues un peu partout dans le monde depuis quelques années. Le climat chaud et ensoleillé, le littoral apportent des denrées riches, des fruits de mer, une quantité limitée de laitages et de viande, ainsi qu'une étonnante variété dans la production de légumes et de fruits.

Une généreuse dose d'huile d'olive, dotée de propriétés protectrices pour le système cardio-vasculaire, équilibre une cuisine qui assure une vie longue et saine, et dont rêvent bien des nations. Toutefois, le régime crétois ne se contente pas d'être bon pour la santé. Il est aussi délicieux ! Les pays voisins de la mer Méditerranée partagent de nombreux produits – les aubergines, les courgettes, les tomates, l'ail, les oignons et les fines herbes, le porc, le bœuf, le pou-let, et un incroyable choix de fruits de mer et de poissons. Mais chaque nation applique un savoir-faire particulier dans la transformation de ces ingrédients en mets succulents qui portent l'empreinte du soleil. Les cuisines les plus populaires sont les cuisines espagnole, française, italienne et grecque. Néanmoins, la plupart des cultures culinaires de ces pays proposent des versions simples et proches de certains plats tels que le poisson grillé au citron et aux herbes ou l'agneau grillé assaisonné d'un peu d'ail.

Que vous choisissiez de profiter des avantages de cette fabuleuse cuisine ou que vous cherchiez simplement à la découvrir, souvenez-vous d'utiliser des denrées de premier choix, si possible originaires de votre région, et de vous accorder le temps suffisant pour jouir tranquillement de votre repas !

soupes &
entrées

Autour de la mer Méditerranée, les repas ont une véritable dimension ludique et sociale. Ils commencent souvent par des apéritifs comme les tapas espagnols ou les mézé grecs. Cette pratique encourage les échanges et la conversation.

Les olives constituent un apéritif simple et tout à fait typique. Elles sont servies un peu partout dans les pays méditerranéens, et se révèlent parfaites avec un verre de xérès glacé ou de vin blanc frais. Gardez toujours un bocal d'olives marinées dans le réfrigérateur, afin d'y puiser à volonté. Les pois chiches forment la base d'une soupe tunisienne goûteuse et des falafels, boulettes de viande assaisonnées d'ail et d'épices diverses. Dans plusieurs contrées, les aubergines servent à confectionner une sauce irrésistible, le baba ghanoush, qui est une spécialité moyen-orientale.

Le poisson fait de fréquentes incursions en entrée. Souvent, il est présenté sous forme de beignets. Ainsi, les calamars frits sont servis dans la plupart des restaurants côtiers. Les brochettes de lotte au romarin et au lard, et les croquettes de poisson aux câpres sont des tapas très populaires en Espagne. Les bœreks sont des bouchées de pâte feuilletée originaires de Turquie.

Les feuilles de vigne farcies se classent parmi les mézé, tandis que les artichauts à la sauce vierge et les asperges à la sauce hollandaise constituent d'élégants en-cas typiques de la cuisine française.

soupe de concombre glacée

ingrédients

POUR 4 PERSONNES

2 concombres

300 ml de yaourt nature

300 ml de bouillon de poule

2 cuil. à soupe d'huile de noix

1 grosse gousse d'ail, hachée

3 cuil. à soupe d'aneth frais
     haché, un peu plus pour
     garnir

sel et poivre

115 g de noix, concassées

méthode

1 Peler les concombres et couper en petits dés. Mélanger le yaourt, le bouillon de poule, l'huile de noix, l'ail et l'aneth, incorporer les dés de concombre, saler et poivrer.

2 Mettre la soupe au réfrigérateur et laisser reposer au moins 4 heures.

3 Incorporer les noix et servir glacé, garni d'aneth.

soupe de légumes

ingrédients

POUR 4 À 6 PERSONNES

225 g de fèves

2 cuil. à soupe d'huile d'olive

2 grosses gousses d'ail,
hachées

1 gros oignon, finement haché

1 branche de céleri, finement
hachée

1 carotte, pelée et hachée

175 g de pommes de terre
à chair ferme, coupées
en dés

950 ml de bouillon de légumes

2 tomates cœur de bœuf,
mondées, épépinées
et hachées

sel et poivre

1 botte de basilic frais, liée
à l'aide d'une ficelle

200 g de courgettes, coupées
en dés

200 g de haricots verts, hachés

55 g de vermicelle, cassé
en morceaux

pesto

100 g de basilic frais

2 grosses gousses d'ail

1$^{1}/_{2}$ cuil. à soupe de pignons

50 ml d'huile d'olive vierge
extra fruitée

55 g de parmesan, râpé

méthode

1 Les jeunes fèves peuvent être utilisées telles quelles. Les fèves plus coriaces doivent être incisées à l'aide d'un couteau tranchant de façon à pouvoir expulser la fève de sa peau.

2 Dans un casserole, chauffer l'huile à feu moyen, ajouter l'ail, l'oignon, le céleri et la carotte, et faire revenir jusqu'à ce que l'oignon soit tendre, sans avoir bruni.

3 Ajouter les pommes de terre et les tomates, mouiller avec le bouillon, saler et poivrer. Porter à ébullition en écumant la surface si nécessaire et ajouter le basilic. Réduire le feu, couvrir et laisser mijoter 15 minutes, jusqu'à ce que les pommes de terre soient tendres.

4 Pour le pesto, mettre le basilic, l'ail et les pignons dans un robot de cuisine et mixer jusqu'à obtention d'une pâte homogène. Ajouter l'huile d'olive et mixer de nouveau. Transférer dans un bol, incorporer le fromage et réserver au réfrigérateur.

5 Dans la casserole, ajouter les fèves, les courgettes, les haricots verts et le vermicelle, et laisser mijoter encore 10 minutes, jusqu'à ce que les légumes soient tendres et les pâtes *al dente*. Rectifier l'assaisonnement et retirer le basilic.

6 Répartir la soupe dans des assiettes à soupe chaude et garnir chaque assiette d'une cuillerée à soupe de pesto.

bouillabaisse

ingrédients

POUR 4 PERSONNES

100 ml d'huile d'olive

3 gousses d'ail, hachées

2 oignons, hachés

2 tomates, épépinées
    et hachées

700 ml de fumet de poisson

400 ml de vin blanc

1 feuille de laurier

1 pincée de filaments
    de safran

2 cuil. à soupe de basilic frais
    haché

2 cuil. à soupe de persil frais
    haché

200 g de moules

250 g de filets de lotte
    ou de vivaneau

250 g de filets d'églefin,
    sans la peau

200 g de crevettes,
    décortiquées et déveinées

100 g de noix
    de Saint-Jacques

sel et poivre

pain frais,
    en accompagnement

méthode

1 Dans une casserole, chauffer l'huile à feu moyen, ajouter l'ail et les oignons, et cuire 3 minutes sans cesser de remuer. Incorporer les tomates, le fumet, le vin, le laurier, le safran et les fines herbes, porter à ébullition et réduire le feu. Couvrir et cuire 30 minutes.

2 Faire tremper les moules 10 minutes dans de l'eau salée, gratter les coquilles sous l'eau courante et ébarber. Jeter les moules dont la coquille est cassée et celles qui ne se ferment pas au toucher. Mettre dans une grande casserole, ajouter un peu d'eau et porter à ébullition. Cuire 4 minutes, retirer du feu et jeter les moules qui sont restées fermées.

3 Rincer les filets de poisson, sécher et couper en morceaux. Ajouter à la sauce tomate et laisser mijoter 5 minutes. Ajouter les moules, les crevettes et les noix de Saint-Jacques, saler et poivrer. Cuire 3 minutes, jusqu'à ce que le poisson soit cuit. Retirer du feu, jeter le laurier et répartir dans des assiettes à soupe. Servir accompagné de pain frais.

soupe tunisienne à l'ail & aux pois chiches

ingrédients

POUR 4 PERSONNES

8 cuil. à soupe d'huile d'olive

12 gousses d'ail,
    très finement hachées

350 g de pois chiches secs,
    trempés une nuit dans
    de l'eau froide et égouttés

2,5 l d'eau

1 cuil. à café de cumin
    en poudre

1 cuil. à café de coriandre
    en poudre

2 carottes, très finement
    hachées

2 oignons, très finement
    hachés

6 branches de céleri,
    très finement hachées

jus de 1 citron

sel et poivre

4 cuil. à soupe de coriandre
    fraîche hachée

méthode

1 Dans une casserole, chauffer la moitié de l'huile, ajouter l'ail et cuire 2 minutes à feu doux en remuant souvent. Ajouter les pois chiches, l'eau, le cumin et la coriandre en poudre, porter à ébullition et réduire le feu. Laisser mijoter 2 h 30, jusqu'à ce que les pois chiches soient tendres.

2 Dans une casserole, chauffer l'huile restante, ajouter les carottes, les oignons et le céleri et couvrir. Cuire 20 minutes à feu moyen en remuant de temps en temps.

3 Incorporer les légumes à la préparation à base de pois chiches, transférer la moitié du mélange obtenu dans un robot de cuisine et réduire en purée. Reverser dans la casserole, ajouter la moitié du jus de citron, saler et poivrer. Rectifier l'assaisonnement et ajouter du jus de citron si nécessaire. Répartir dans des bols chauds, parsemer de coriandre fraîche et servir.

olives marinées

ingrédients

POUR 8 PERSONNES

450 g de grosses olives vertes
non dénoyautées en boîte
ou en bocal, égouttées

4 gousses d'ail, pelées

2 cuil. à café de graines
de coriandre

1 petit citron

4 brins de thym frais

4 branches de fenouil

2 petits piments rouges frais
(facultatif)

poivre

huile d'olive vierge extra
espagnole, pour couvrir

méthode

1 Répartir les olives sur une planche à découper et écraser légèrement à l'aide d'un rouleau à pâtisserie de sorte que la marinade imprègne bien les olives. À défaut de rouleau à pâtisserie, inciser les olives dans la hauteur jusqu'au noyau. Écraser les gousses d'ail avec le plat d'un couteau. Piler les graines de coriandre dans un mortier. Couper le citron en petits morceaux sans retirer la peau.

2 Dans une grande terrine, mettre les olives, l'ail, les graines de coriandre, les morceaux de citron, le thym, le fenouil et les piments, mélanger le tout et poivrer. Les olives sont naturellement salées, il n'est donc pas nécessaire d'ajouter de sel. Transférer le tout dans un bocal hermétique en tassant bien, couvrir d'huile d'olive et fermer.

3 Laisser reposer 24 heures à température ambiante, mettre au réfrigérateur et laisser mariner 1 à 2 semaines. Secouer le bocal de temps en temps de façon à bien mélanger les ingrédients. Laisser les olives revenir à température ambiante, retirer l'huile et servir avec des piques à cocktail.

tapenade

ingrédients

POUR ENVIRON 300 G

250 g d'olives noires,
  dénoyautées

3 filets d'anchois à l'huile,
  égouttés

1 grosse gousse d'ail, coupée
  en deux, la partie verte
  retirée si nécessaire

2 cuil. à soupe de pignons

1/2 cuil. à soupe de câpres
  en saumure, rincées

125 ml d'huile d'olive vierge
  extra

jus de citron ou d'orange
  fraîchement pressé,
  selon son goût

poivre

croûtons à l'ail

12 tranches de baguette,
  d'environ 5 mm
  d'épaisseur

huile d'olive vierge extra

2 gousses d'ail, pelées
  et coupées en deux

méthode

1 Mettre les olives, les anchois, l'ail, les pignons et les câpres dans un robot de cuisine et mixer jusqu'à ce que le tout soit finement haché et bien mélanger. Moteur en marche, verser progressivement l'huile en filet jusqu'à obtention d'une consistance homogène.

2 Ajouter le jus de citron ou d'orange et poivrer selon son goût. Les anchois sont très salés, il n'est donc pas nécessaire d'ajouter de sel. Couvrir et réserver au réfrigérateur.

3 Pour les croûtons à l'ail, préchauffer le gril à haute température. Passer les tranches de baguette au gril 1 à 2 minutes sur une face seulement, jusqu'à ce qu'elles soient dorées. Retourner les tranches, enduire la face non grillée d'huile d'olive et passer au gril encore 1 à 2 minutes.

4 Frotter immédiatement une face de chaque tranche de pain avec les gousses d'ail, laisser refroidir et réserver. Les croûtons se conservent 2 jours dans un récipient hermétique.

5 Servir la tapenade accompagnée de croûtons à l'ail.

houmous

ingrédients

POUR 4 PERSONNES

115 g de pois chiches secs
3 à 6 cuil. à soupe de jus
de citron
3 à 6 cuil. à soupe d'eau
2 à 3 gousses d'ail, hachées
150 ml de pâte de sésame
sel
1 cuil. à soupe d'huile d'olive
1 cuil. à café de poivre
de Cayenne ou de paprika
1 brin de persil plat frais,
en garniture
pain pita, rondelles
de tomate et mesclun,
en accompagnement

méthode

1 Mettre les pois chiches dans une grande terrine, couvrir d'eau et laisser tremper une nuit. Égoutter, transférer dans une casserole, couvrir d'eau et porter à ébullition. Laisser bouillir 1 heure, jusqu'à ce que les pois chiches soient tendres. Retirer du feu et égoutter.

2 Transférer les pois chiches dans un robot de cuisine et mixer en incorporant assez d'eau et de jus de citron pour obtenir une consistance souple et homogène.

3 Ajouter les gousses d'ail et mixer. Incorporer la pâte de sésame, saler selon son goût et ajouter de l'eau ou du jus de citron pour obtenir la consistance souhaitée.

4 Transférer dans un plat de service, arroser d'huile et saupoudrer de poivre de Cayenne ou de paprika.

5 Couvrir de film alimentaire, mettre au réfrigérateur et laisser reposer au moins 1 heure. Garnir d'un brin de persil et servir accompagné de pain pita, de rondelles de tomate et de mesclun.

baba ghanoush
& pain oriental

ingrédients

POUR 4 À 6 PERSONNES

1 grosse aubergine, piquée
  sur toute la surface
  à l'aide d'une fourchette

3 grosses gousses d'ail,
  non pelées

1 cuil. à café de coriandre
  en poudre

1 cuil. à café de cumin
  en poudre

1 cuil. à soupe de pâte
  de sésame

jus de $1/2$ citron

2 cuil. à soupe d'huile d'olive
  vierge extra

sel et poivre

coriandre fraîche, pour décorer

pain oriental

250 g de farine

2 cuil. à soupe de maïzena

1 cuil. à café de levure
  en poudre

1 cuil. à café de sel

4 cuil. à soupe de beurre,
  coupé en dés

1 cuil. à soupe de graines
  de sésame (facultatif)

150 à 175 ml d'eau chaude

huile de maïs, pour graisser

méthode

1 Mettre l'aubergine dans un plat allant au four et cuire au four préchauffé 25 minutes à 200 °C (th. 6-7). Ajouter les gousses d'ail et cuire encore 15 minutes, jusqu'à ce que l'aubergine et l'ail soient très tendres.

2 Couper l'aubergine en deux, prélever la chair et transférer dans un robot de cuisine. Peler l'ail et ajouter à l'aubergine. Incorporer les épices, la pâte de sésame, le jus de citron et l'huile, mixer jusqu'à obtention d'une pâte homogène, saler et poivrer. Transférer dans un plat de service, décorer couvrir et réserver.

3 Pour le pain, tamiser la farine, la maïzena, la levure et le sel dans une terrine, incorporer le beurre avec les doigts jusqu'à obtention d'une consistance de chapelure et ajouter les graines de sésame et l'eau. Mélanger à l'aide d'une cuillère en bois et compacter en boule.

4 Sur un plan fariné, pétrir jusqu'à obtention d'une pâte souple, diviser en six et envelopper chaque portion de film alimentaire. Mettre au réfrigérateur et laisser reposer 30 minutes.

5 Abaisser chaque portion en rond de 5 mm d'épaisseur avec les doigts. Chauffer un gril en fonte huilé à feu moyen et cuire le pain quelques minutes jusqu'à ce qu'il soit doré. Servir chaud accompagné de baba ghanoush.

falafels

ingrédients

POUR 4 PERSONNES

225 g de pois chiches secs

1 gros oignon, finement haché

1 gousse d'ail, hachée

sel et poivre de Cayenne

2 cuil. à soupe de persil frais haché

2 cuil. à café de cumin en poudre

2 cuil. à café de coriandre en poudre

1/2 cuil. à café de levure en poudre

huile, pour la friture

houmous (*voir* page 20) et pain pita, en accompagnement

méthode

1 Mettre les pois chiches dans une grande terrine, couvrir d'eau et laisser tremper une nuit. Égoutter, mettre dans une casserole et couvrir d'eau. Porter à ébullition et laisser bouillir 1 heure, jusqu'à ce qu'ils soient tendres. Retirer du feu et égoutter.

2 Transférer les pois chiches dans un robot de cuisine et mixer jusqu'à obtention d'une pâte épaisse. Ajouter l'oignon, l'ail, le persil, les épices et la levure, saler, poivrer et mixer jusqu'à ce que le tout soit homogène.

3 Laisser reposer 30 minutes. Diviser en six, façonner des boules dans la paume des mains et disposer sur une assiette. Laisser reposer encore 30 minutes.

4 Chauffer de l'huile dans un wok ou une grande casserole, y plonger délicatement les falafels et cuire jusqu'à ce qu'ils soient bien dorés. Retirer de l'huile et égoutter quelques minutes sur du papier absorbant.

5 Servir chaud ou à température ambiante, accompagné d'houmous et de pain pita.

poulet au citron & à l'ail

ingrédients

POUR 6 À 8 PERSONNES

4 gros blancs de poulet,
    désossés et sans la peau

5 cuil. à soupe d'huile d'olive
    espagnole

1 oignon, finement haché

6 gousses d'ail, finement
    hachées

zeste râpé et jus de 2 citrons

4 cuil. à soupe de persil plat
    frais haché, un peu plus
    pour garnir

sel et poivre

quartiers de citron et pain
    frais, en accompagnement

méthode

1 À l'aide d'un couteau tranchant, couper le poulet en très fines lamelles dans la largeur. Dans une poêle, chauffer l'huile d'olive, ajouter l'oignon et cuire 5 minutes, jusqu'à ce qu'il soit tendre, sans avoir doré. Ajouter l'ail et cuire encore 30 secondes.

2 Ajouter les lamelles de poulet et cuire 5 à 10 minutes à feu doux en remuant de temps en temps, jusqu'à ce que tous les ingrédients soient légèrement dorés et que le poulet soit tendre.

3 Ajouter la moitié du zeste de citron, mouiller avec le jus de citron et porter à ébullition. Racler le fond de la poêle de façon à détacher les sucs à l'aide d'une cuillère en bois. Retirer la poêle du feu, incorporer le persil, saler et poivrer.

4 Transférer immédiatement la préparation dans un plat de service chaud, parsemer du zeste de citron restant et garnir de persil. Servir accompagné de quartiers de citron et de tranches de pain frais.

brochettes de lotte au romarin & au lard

ingrédients

POUR 4 À 6 PERSONNES

250 g de filets de lotte

12 brins de romarin frais

3 cuil. à soupe d'huile d'olive
    espagnole

jus de $^1/_2$ petit citron

1 gousse d'ail, hachée

sel et poivre

6 tranches épaisses de lard

quartiers de citron,
    en garniture

aïoli, en accompagnement

méthode

1 À l'aide d'un couteau tranchant, couper la lotte en 24 morceaux et mettre dans une grande terrine.

2 Effeuiller les brins de romarin en laissant quelques feuilles à une extrémité de chaque brin. Réserver les brins pour les brochettes.

3 Hacher les feuilles de romarin, mettre dans une terrine et ajouter l'huile d'olive, le jus de citron et l'ail. Saler, poivrer et bien battre le tout. Ajouter les morceaux de poisson, bien mélanger et couvrir. Mettre au réfrigérateur et laisser mariner 1 à 2 heures.

4 Couper chaque tranche de lard en deux dans la longueur et couper chaque moitié de nouveau en deux. Rouler chaque morceau et en piquer deux sur chaque brin de romarin en alternant avec deux morceaux de lotte.

5 Préchauffer le gril ou préparer le barbecue. Veiller à ce que les feuilles de romarin restées aux extrémités des brochettes ne soient pas exposées à la chaleur de sorte qu'elles ne prennent pas feu. Cuire les brochettes 10 minutes en les retournant de temps en temps et en arrosant régulièrement de marinade. Servir chaud, garni de quartiers de citron et accompagné d'aïoli.

croquettes de poisson aux câpres

ingrédients

POUR 12 CROQUETTES

350 g de filets de poisson
à chair blanche, églefin
ou lotte par exemple,
sans la peau et arêtes
retirées

300 ml de lait

sel et poivre

55 g de beurre

55 g de farine

4 cuil. à soupe de câpres,
grossièrement hachées

1 cuil. à café de paprika

1 gousse d'ail, hachée

1 cuil. à café de jus de citron

3 cuil. à soupe de persil plat
frais haché, un peu plus
pour garnir

1 œuf, battu

55 g de chapelure blanche
fraîche

1 cuil. à soupe de graines
de sésame

huile de maïs, pour la friture

quartiers de citron,
en garniture

mayonnaise,
en accompagnement

méthode

1 Dans une poêle, mettre le poisson et le lait, saler et poivrer. Porter à ébullition, réduire le feu et couvrir. Cuire 8 à 10 minutes, jusqu'à ce que le poisson s'effeuille. Égoutter en réservant le lait et émietter.

2 Dans une casserole, chauffer le beurre, ajouter la farine et cuire 1 minute à feu doux sans cesser de remuer. Verser progressivement le lait réservé et porter à ébullition sans cesser de remuer, jusqu'à ce que le tout épaississe.

3 Retirer du feu, ajouter le poisson et battre jusqu'à obtention d'une consistance homogène. Ajouter les câpres, le paprika, l'ail, le jus de citron et le persil, saler et poivrer. Mélanger, mettre dans une terrine et laisser refroidir. Couvrir et laisser reposer 3 heures au réfrigérateur.

4 Mélanger la chapelure et les graines de sésame. Diviser la préparation en douze et façonner des quenelles de 7,5 cm de long. Passer dans l'œuf battu, enrober de chapelure et laisser reposer 1 heure au réfrigérateur.

5 Dans une sauteuse, chauffer l'huile à 180 à 190 °C, ajouter les croquettes et cuire 3 minutes, jusqu'à ce qu'elles soient dorées. Égoutter sur du papier absorbant et servir garni de persil et de quartiers de citron, et accompagné de mayonnaise.

bœreks au thon et tomate

ingrédients

POUR 18 BŒREKS

18 feuilles de pâte filo,
    de 38 x 15 cm

huile, pour la friture

gros sel, en garniture

mesclun et quartiers de citron,
    en accompagnement

garniture

2 œufs durs, écalés
    et finement hachés

200 g de thon en saumure,
    égoutté

1 cuil. à soupe d'aneth frais
    haché

1 tomate, mondée, épépinée
    et très finement hachée

1/4 de cuil. à café de poivre
    de Cayenne

sel

méthode

1 Pour la garniture, mettre les œufs, le thon et l'aneth dans une terrine et réduire le tout en purée.

2 Incorporer la tomate en veillant à ne pas trop l'écraser, saler et incorporer du poivre de Cayenne. Réserver.

3 Étaler une feuille de pâte filo, largeur face à soi, en réservant les feuilles restantes sous un torchon humide. Répartir 1 cuillerée à soupe de garniture le long du côté opposé à soi à 1 cm du bord, en laissant une marge de 2,5 cm à gauche et à droite.

4 Replier fermement le bord sur la garniture, rabattre les marges laissées à gauche et à droite, et rouler le tout. Sceller l'extrémité en fixant avec un peu d'huile. Répéter l'opération avec les feuilles de pâte filo et la garniture restantes.

5 Dans une sauteuse, verser 2,5 cm d'huile et chauffer à 180 à 190 °C – un dé de pain plongé dans l'huile doit brunir en 30 secondes. Faire frire les bœrek 2 à 3 minutes, jusqu'à ce qu'ils soient dorés. Retirer de l'huile à l'aide d'une écumoire, égoutter sur du papier absorbant et saupoudrer de gros sel. Servir chaud ou à température ambiante, accompagné de mesclun et de quartiers de citron.

calmars frits

ingrédients

POUR 6 PERSONNES

450 g de calmars, parés

farine

huile de tournesol, pour
la friture

sel

quartiers de citron et aïoli,
en accompagnement

méthode

1 Couper les calmars en anneaux de 1 cm d'épaisseur et couper les tentacules en deux si elles sont grosses. Rincer à l'eau courante, sécher avec du papier absorbant et enrober légèrement de farine.

2 Dans une sauteuse, chauffer de l'huile à 180 à 190 °C – un dé de pain plongé dans l'huile doit brunir en 30 secondes. Faire frire les calmars 2 à 3 minutes en les retournant plusieurs fois, jusqu'à ce qu'ils soient dorés et croustillants. Veiller à ne pas cuire trop de calmars à la fois car cela ferait chuter la température de l'huile et les calmars ne seraient pas croustillants. Un temps de cuisson trop élevé rendrait les calmars durs et caoutchouteux.

3 Retirer les calmars de l'huile à l'aide d'une écumoire et égoutter sur du papier absorbant.

4 Saupoudrer les calmars de sel et servir très chaud, accompagnés de quartiers de citron et d'aïoli.

moules & leur beurre
à l'ail et aux fines herbes

ingrédients

POUR 8 PERSONNES

800 g de moules

1 trait de vin blanc

1 feuille de laurier

6 cuil. à soupe de beurre

35 g de chapelure blanche
ou blonde fraîche

4 cuil. à soupe de persil plat
frais haché, un peu plus
pour garnir

2 cuil. à soupe de ciboulette
fraîche hachée

2 gousses d'ail, finement
hachées

sel et poivre

quartiers de citron,
en garniture

méthode

1 Gratter les moules sous l'eau courante, ébarber et jeter celles dont les coquilles sont abîmées ou celles qui ne se ferment pas au toucher. Mettre les moules dans une passoire et rincer à l'eau courante.

2 Transférer les moules dans une casserole, ajouter le vin et la feuille de laurier, et couvrir. Cuire 3 à 4 minutes à feu vif en secouant la casserole de temps en temps, jusqu'à ce que les moules soient ouvertes. Jeter les moules qui sont restées fermées. Égoutter.

3 Décoquiller les moules en réservant la base de chaque coquille. Répartir les moules dans la base de leur coquille dans un plat de service allant au four.

4 Dans une petite casserole, faire fondre le beurre et verser dans une terrine. Ajouter la chapelure, le persil, la ciboulette et l'ail, saler et poivrer. Bien mélanger le tout et laisser reposer jusqu'à ce que le beurre ait légèrement pris. Garnir chaque moule de beurre à l'aide de 2 cuillères ou avec les doigts.

5 Cuire au four préchauffé 10 minutes à 230 °C (th. 7-8), jusqu'à ce que les moules soient très chaudes. Servir immédiatement, garni de persil et de quartiers de citron.

gambas au citron vert

ingrédients

POUR 6 PERSONNES

4 citrons verts

12 gambas crues,
    non décortiquées

3 cuil. à soupe d'huile d'olive
    espagnole

2 gousses d'ail, finement
    hachées

1 trait de xérès

sel et poivre

4 cuil. à soupe de persil plat
    frais haché

méthode

1 Râper le zeste et presser le jus de 2 citrons verts. Couper les citrons restants en quartiers et réserver.

2 Retirer la tête et les pâtes des gambas en laissant la carapace et la queue intactes. À l'aide d'un couteau tranchant, inciser le dos de chaque gambas et retirer la veine noire. Rincer à l'eau courante et sécher avec du papier absorbant.

3 Dans une poêle, chauffer l'huile d'olive, ajouter l'ail et faire revenir 30 secondes. Ajouter les gambas et cuire 5 minutes en remuant de temps en temps, jusqu'à ce qu'elles soient roses et commencent à se recourber. Incorporer le zeste et le jus de citron vert, mouiller avec un trait de xérès et bien mélanger.

4 Transférer les crevettes dans un plat de service, saler et poivrer. Parsemer de persil et servir très chaud, accompagné de quartiers de citron vert.

noix de Saint-Jacques en chapelure persillée

ingrédients

POUR 4 PERSONNES

20 grosses noix
de Saint-Jacques
d'environ 4 cm
d'épaisseur
sel et poivre
200 g de beurre clarifié
85 g de baguette de la veille,
émiettée en fine chapelure
4 gousses d'ail, finement
hachées
5 cuil. à soupe de persil plat
frais finement haché
quartiers de citron,
en garniture

méthode

1 Préchauffer le four à sa température la plus basse. À l'aide d'un petit couteau, retirer la veine noire des noix de Saint-Jacques, rincer et sécher. Saler, poivrer et réserver.

2 Dans une poêle, faire fondre le beurre à feu vif, ajouter la chapelure et l'ail, et cuire 5 à 6 minutes à feu moyen, jusqu'à ce que la chapelure soit dorée et croustillante. Retirer la chapelure de la poêle, égoutter sur du papier absorbant et réserver au chaud dans le four. Nettoyer la poêle.

3 Utiliser 2 grandes poêle de façon à cuire toutes les noix de Saint-Jacques en même temps. Faire fondre 55 g de beurre dans chaque poêle à feu vif, répartir les noix de Saint-Jacques dans les poêles en une seule couche et cuire 2 minutes à feu moyen.

4 Retourner et cuire encore 2 à 3 minutes, jusqu'à ce qu'elles soient dorées et cuites à cœur. Répartir le beurre restant dans les poêles si nécessaire.

5 Répartir les noix de Saint-Jacques dans 4 assiettes chaudes. Mélanger la chapelure et le persil, et répartir sur les noix de Saint-Jacques. Servir garni de quartiers de citron vert.

feuilles de vigne farcies

ingrédients

POUR 30 PIÈCES

225 g de feuilles de vigne
  en saumure
115 g de riz arborio
175 ml d'huile d'olive
1 petit oignon, finement
  haché
1 gousse d'ail, finement
  hachée
55 g de pignons, hachés
55 g de raisins secs
3 oignons verts, finement
  hachés
1 cuil. à soupe de menthe
  fraîche hachée
1 cuil. à soupe d'aneth frais
  haché
2 cuil. à soupe de persil plat
  frais haché
sel et poivre
jus de 1 citron
quartiers de citron
  et yaourt nature,
  en accompagnement

méthode

1 Dans une terrine, mettre les feuilles de vigne, couvrir d'eau bouillante et laisser tremper 20 minutes. Égoutter, faire tremper 20 minutes dans de l'eau froide et égoutter de nouveau.

2 Dans une casserole, mettre le riz, couvrir d'eau et porter à ébullition. Laisser mijoter 15 à 20 minutes, jusqu'à ce que le riz soit tendre. Égoutter, laisser refroidir et réserver.

3 Dans une poêle, chauffer 2 cuillerées à soupe d'huile, ajouter l'oignon et l'ail, et cuire jusqu'à ce qu'ils soient tendres. Ajouter le riz, les pignons, les raisins secs, les oignons verts, la menthe, l'aneth et le persil, saler et poivrer. Bien mélanger le tout.

4 Étaler une feuille de vigne, nervures vers le haut. Garnir la base de farce, replier la base et les côtés sur la farce et rouler le tout en pressant légèrement pour sceller. Répéter l'opération avec les feuilles et la farce restantes et mettre dans une cocotte en une couche.

5 Mélanger l'huile d'olive restante, le jus de citron et 150 ml d'eau, verser dans la cocotte et maintenir les feuilles de vigne farcies immergées en couvrant d'une assiette. Couvrir la cocotte, porter au point de frémissement et laisser mijoter 45 minutes. Laisser refroidir dans la cocotte.

6 Servir chaud ou froid, accompagné de quartiers de citron et de yaourt nature.

artichauts
en sauce vierge

ingrédients

POUR 4 PERSONNES

4 artichauts

$1/2$ citron, coupé en rondelles
sel

sauce vierge

3 tomates cœur de bœuf,
    mondées, épépinées
    et coupées en petits dés
4 oignons verts, très finement
    hachés
6 cuil. à soupe de fines
    herbes hachées, basilic,
    cerfeuil, ciboulette,
    menthe, persil plat
    ou estragon, par exemple
150 ml d'huile d'olive vierge
    extra
1 pincée de sucre
sel et poivre

méthode

1 Couper les tiges des artichauts et égaliser la base de sorte qu'ils soient stables. À l'aide d'une paire de ciseaux, couper le sommet des feuilles. Remplir une terrine d'eau, ajouter 2 rondelles de citron et y réserver les artichauts au fur et à mesure de la préparation.

2 Choisir une casserole assez grande pour contenir les 4 artichauts, remplir d'eau salée et ajouter les rondelles de citron restantes. Porter l'eau à ébullition, ajouter les artichauts et maintenir immergé en couvrant d'une assiette. Réduire le feu et laisser mijoter 25 à 35 minutes à petits bouillons, jusqu'à ce que les feuilles extérieures se détachent facilement.

3 Pour la sauce, mettre dans une casserole les tomates, les oignons verts, les fines herbes, l'huile et le sucre, saler et poivrer. Laisser reposer de sorte que les arômes se développent.

4 Égoutter les artichauts à l'envers sur du papier absorbant et transférer dans des assiettes. Chauffer la sauce à feu très doux et napper les artichauts.

asperges et leur sauce hollandaise

ingrédients

POUR 4 PERSONNES

650 g d'asperges vertes,
parées et coupées
de sorte qu'elles aient
la même taille

sauce hollandaise

4 cuil. à soupe de vinaigre
de vin blanc

1/2 cuil. à soupe d'échalote
finement hachée

5 grains de poivre noir

1 feuille de laurier

3 jaunes d'œufs

140 g de beurre,
coupé en dés

2 cuil. à café de jus de citron

sel

1 pincée de poivre
de Cayenne

méthode

1 Grouper les asperges en 4 bottes et maintenir avec de la ficelle de cuisine en enroulant de la base jusque sous les pointes. Déposer les bottes à la verticale dans une casserole et verser de l'eau bouillante de sorte que les asperges soient immergées aux trois quarts. Recouvrir les pointes d'un dôme de papier d'aluminium, côté brillant vers le haut, disposer directement dans la casserole. Chauffer jusqu'à ce que l'eau soit frémissante et laisser mijoter 10 minutes, jusqu'à ce que les asperges soient tendres. Bien égoutter.

2 Pour la sauce, mettre dans une casserole le vinaigre, l'échalote, les grains de poivre et le laurier, porter à ébullition et cuire à feu vif jusqu'à ce que le mélange ait réduit à l'équivalent de 1 cuillerée à soupe. Laisser tiédir, filtrer et transférer dans une terrine résistant à la chaleur. Disposer la terrine sur une casserole d'eau frémissante en veillant à ce que l'eau ne touche pas la base de la terrine.

3 Incorporer les jaunes d'œufs dans la terrine et battre jusqu'à obtention d'une consistance qui nappe la cuillère. Veiller à ne pas laisser bouillir. Incorporer progressivement le beurre sans cesser de battre jusqu'à obtention d'une consistance de mayonnaise. Ajouter le jus de citron, saler et poivrer. Servir avec les asperges.

tomates farcies à la sicilienne

ingrédients

POUR 4 PERSONNES

8 grosses tomates mûres

7 cuil. à soupe d'huile d'olive
vierge extra

2 oignons, très finement
hachés

2 gousses d'ail, hachées

115 g de chapelure fraîche

8 filets d'anchois à l'huile,
égouttés et hachés

3 cuil. à soupe d'olives noires,
dénoyautées et hachées

2 cuil. à soupe de persil plat
frais haché

1 cuil. à soupe d'origan frais
haché

4 cuil. à soupe de parmesan
fraîchement râpé

méthode

1 Retirer le sommet des tomates et ôter les pépins à l'aide d'une petite cuillère en veillant à ne pas percer la peau. Retourner sur du papier absorbant et égoutter.

2 Dans une poêle, chauffer 6 cuillerées à soupe d'huile d'olive, ajouter les oignons et l'ail, et cuire 5 minutes à feu doux en remuant de temps en temps, jusqu'à ce qu'ils soient tendres. Retirer du feu et incorporer la chapelure, les anchois, les olives et les fines herbes.

3 Farcir les tomates de la préparation précédente à l'aide d'une cuillère à café et mettre dans un plat allant au four. Saupoudrer de parmesan et arroser de l'huile d'olive restante.

4 Cuire au four préchauffé 20 à 25 minutes à 180 °C (th. 6), jusqu'à ce que les tomates soient tendres et que la garniture soit dorée.

5 Retirer le plat du four et servir immédiatement ou laisser refroidir.

piments farcis

ingrédients

POUR 7 À 8 PIMENTS

85 g de piments entiers
en bocal à l'huile

fromage frais aux fines herbes

225 g de fromage frais

1 cuil. à café de jus de citron

1 gousse d'ail, hachée

4 cuil. à soupe de persil frais
haché

1 cuil. à soupe de menthe
fraîche hachée

1 cuil. à soupe d'origan frais
haché

sel et poivre

thon à la mayonnaise

200 g de thon en boîte
à l'huile d'olive, égoutté

5 cuil. à soupe de mayonnaise

2 cuil. à café de jus de citron

2 cuil. à soupe de persil plat
frais haché

sel et poivre

fromage de chèvre aux olives

50 g d'olives noires,
dénoyautées et hachées

200 g de fromage de chèvre

1 gousse d'ail, hachée

sel et poivre

méthode

1 Retirer les piments du bocal en réservant l'huile.

2 Pour la première garniture, mettre le fromage frais dans une terrine, ajouter le jus de citron, l'ail, le persil, la menthe et l'origan, et bien mélanger le tout. Saler et poivrer.

3 Pour la deuxième garniture, mettre le thon dans une terrine, ajouter la mayonnaise, le jus de citron et le persil, et incorporer 1 cuillerée à soupe de l'huile des piments réservée. Bien mélanger le tout, saler et poivrer.

4 Pour la troisième garniture, mettre les olives dans une terrine, ajouter le fromage de chèvre, l'ail et 1 cuillerée à soupe de l'huile des piments réservée, et bien mélanger le tout. Saler et poivrer.

5 À l'aide d'une cuillère à café, farcir les piments avec la garniture de son choix. Mettre au réfrigérateur et laisser reposer au moins 2 heures, jusqu'à ce que les garnitures soient fermes.

6 Transférer les piments sur un plat de service et essuyer à l'aide de papier absorbant la garniture qui se serait écoulée des piments sur le plat.

viande &
volaille

La viande figure au menu dans tous les pays méditerranéens, mais pas nécessairement en quantités importantes. L'agneau grillé, très apprécié, est servi lors d'occasions festives, notamment à Pâques, et se marie admirablement avec le romarin et la marsala, qui lui donnera un petit air italien. Réduite, la sauce devenue onctueuse nappera l'agneau à merveille. Au Maroc, l'agneau est servi en tajine, dans son plat caractéristique, avec un accompagnement de légumes et d'abricots. Le résultat est très diététique, hautement parfumé, et excellent quand il est servi avec de la semoule.

Souvent, la viande est transformée en saucisses. Testez les saucisses d'agneau aux lentilles, telles qu'elles sont préparées à l'espagnole. Vous pouvez également utiliser des saucisses de porc ou de sanglier. Les poulets sont élevés dans tous les pays méditerranéens, souvent en liberté, ce qui donne une grande qualité à leur viande. En Grèce, où la volaille se promène souvent sans complexe au bord des routes, le poulet est préparé en tourte, couvert d'une fine pâte feuilletée croustillante. Les brochettes de poulet sont servis avec une sauce au yaourt, dans la plupart des tavernes. En France, le poulet à l'estragon est un classique. La sauce est riche, crémeuse et très aromatique.

La paella, spécialité espagnole, combine le poulet et les fruits de mer, notamment les crevettes. Laissez-vous tenter !

agneau rôti au romarin & au marsala

ingrédients

POUR 6 PERSONNES

1,8 kg d'épaule d'agneau

2 gousses d'ail, coupées
    en très fines rondelles

2 cuil. à soupe de feuilles
    de romarin hachées

8 cuil. à soupe d'huile d'olive

sel et poivre

900 g de pommes de terre,
    coupées en dés de 2,5 cm

6 feuilles de sauge fraîche,
    hachées

150 ml de marsala

méthode

1 À l'aide d'un petit couteau tranchant, pratiquer de petites incisions sur l'ensemble de l'épaule d'agneau. Insérer les rondelles d'ail et la moitié du romarin dans les incisons.

2 Mettre l'agneau dans un plat à rôti, enduire de la moitié de l'huile et cuire au four préchauffé 15 minutes à 220 °C (th. 6-7). Réduire la température du four à 180 °C (th. 6). Retirer l'agneau du four, saler et poivrer. Retourner l'agneau et cuire au four préchauffé 1 heure.

3 Répartir les cubes de pommes de terre dans un autre plat à rôtir, incorporer l'huile d'olive restante et ajouter le romarin restant et la sauge. Cuire 40 minutes au four préchauffé avec l'agneau.

4 Retirer l'agneau du four, arroser de marsala et cuire encore 15 minutes avec les pommes de terre.

5 Transférer l'agneau sur une planche à découper et couvrir de papier d'aluminium. Chauffer le plat à feu vif, porter le jus de cuisson à ébullition et laisser bouillir jusqu'à obtention d'une sauce épaisse et sirupeuse. Filtrer le jus de cuisson. Couper l'épaule d'agneau en lamelles et servir accompagné de pommes de terre et nappé de sauce.

agneau à la provençale

ingrédients

POUR 4 À 6 PERSONNES

1 épaule d'agneau d'environ
　　1,5 kg, désossé

huile d'olive, pour graisser

marinade

1 bouteille de vin rouge

2 grosses gousses d'ail,
　　hachées

2 cuil. à soupe d'huile d'olive
　　vierge extra

1 poignée de brins de romarin
　　frais, un peu plus pour
　　garnir

brins de thym frais, un peu
　　plus pour garnir

tapenade

250 g d'olives noires
　　en saumure, rincées
　　et dénoyautées

1 grosse gousse d'ail

2 cuil. à soupe de cerneaux
　　de noix

4 filets d'anchois en boîte,
　　égouttés

125 ml d'huile d'olive vierge
　　extra

jus de citron (facultatif)

poivre

méthode

1 Mettre l'agneau sur une planche à découper et inciser à l'horizontale dans la cavité laissée par l'os en veillant à ne pas trancher de part en part, de sorte que l'agneau puisse être ouvert à plat. Transférer dans une grande terrine non métallique et ajouter les ingrédients de la marinade. Couvrir de film alimentaire, mettre au réfrigérateur et laisser mariner 24 heures en retournant plusieurs fois.

2 Pour la tapenade, mettre les olives, l'ail, les noix et les anchois dans un robot de cuisine et mixer le tout. Moteur en marche, verser l'huile d'olive en filet, ajouter du jus de citron et poivrer selon son goût. Transférer dans un bol, couvrir et réserver au réfrigérateur.

3 Retirer l'agneau de la marinade et sécher. Aplatir, maintenir à plat en piquant 3 brochettes métalliques dans la chair. Enduire de tapenade.

4 Placer la viande sur une grille huilée et cuire au barbecue 5 minutes à 10 cm des braises. Retourner et cuire encore 5 minutes. Retourner encore deux fois à 5 minutes d'intervalle en relevant la grille si la viande grille trop vite – la viande doit être mi-cuite après 20 à 25 minutes de cuisson.

5 Retirer du barbecue et laisser reposer 10 minutes. Couper en fines lamelles et garnir de brins de romarin et de thym.

brochettes d'agneau marinées

ingrédients

POUR 4 PERSONNES

jus de 2 gros citrons

100 ml d'huile d'olive, un peu
    plus pour huiler

1 gousse d'ail, hachée

1 cuil. à soupe d'origan
    et menthe fraîche

sel et poivre

700 g d'épaule désossée
    ou de filets d'agneau,
    parés et coupés en cubes
    de 4 cm

2 poivrons verts

2 courgettes

12 oignons grelots, pelés
    et laissés entiers

8 grosses feuilles de laurier

quartiers de citron,
    en garniture

riz, en accompagnement

sauce au yaourt et au concombre

1 petit concombre

300 ml de yaourt nature

1 grosse gousse d'ail, hachée

1 cuil. à soupe de menthe
    ou d'aneth frais, hachés

sel

méthode

1 Pour la sauce, peler le concombre et râper. Mettre dans une passoire et presser de façon à exprimer l'excédent d'eau. Transférer dans une terrine, ajouter le yaourt, l'ail et la menthe et poivrer. Bien mélanger et mettre 2 heures au réfrigérateur. Saler juste avant de servir.

2 Dans une grande terrine, mettre le jus de citron, l'huile, l'ail, l'origan ou la menthe, bien battre le tout, saler et poivrer. Ajouter l'agneau dans la marinade.

3 Bien mélanger, couvrir et laisser mariner 8 heures au réfrigérateur en remuant de temps en temps.

4 Épépiner les poivrons et couper en morceaux de 4 cm. Couper les courgettes en morceaux de 2,5 cm. Piquer les cubes d'agneau sur 8 brochettes métalliques huilées en alternant avec les poivrons, les courgettes, les oignons grelots et les feuilles de laurier. Huiler un gril en fonte et ajouter les brochettes.

5 Cuire les brochettes 10 à 15 minutes, en retournant et en arrosant de marinade régulièrement. Servir chaud, garni de quartiers de citron et accompagné de riz et de sauce au yaourt et au concombre.

agneau au romarin & au vinaigre balsamique

ingrédients

POUR 6 PERSONNES

6 carrés d'agneau
de 3 côtelettes chacun

brins de romarin frais,
en garniture

marinade

3 cuil. à soupe de romarin frais
haché

1 petit oignon, finement
haché

3 cuil. à soupe d'huile d'olive

1 cuil. à soupe de vinaigre
balsamique

1 cuil. à soupe de jus
de citron

sel et poivre

méthode

1 Mettre l'agneau dans une grande terrine et parsemer de romarin et d'oignon. Mélanger l'huile d'olive, le vinaigre balsamique et le jus de citron, bien battre le tout saler et poivrer.

2 Arroser l'agneau du mélange précédent, retourner de façon à bien l'enrober et couvrir de film alimentaire. Laisser reposer 1 à 2 heures à température ambiante.

3 Égoutter l'agneau en réservant la marinade et cuire au barbecue 8 à 10 minutes de chaque côté au-dessus de braises très chaudes en arrosant régulièrement de marinade. Servir garni de brins de romarin.

tajine d'agneau

ingrédients

POUR 4 PERSONNES

1 cuil. à soupe d'huile
de tournesol ou de maïs

1 oignon, haché

350 g d'agneau, désossé,
dégraissé et coupé
en cubes de 2,5 cm

1 gousse d'ail, finement
hachée

625 ml de bouillon
de légumes

zeste râpé et jus de 1 orange

1 cuil. à café de miel liquide

1 bâton de cannelle

1 morceau de gingembre frais
de 1 cm, finement haché

1 aubergine

4 tomates, mondées
et hachées

115 g d'abricots secs

2 cuil. à soupe de coriandre
fraîche hachée

sel et poivre

semoule,
en accompagnement

méthode

1 Dans une cocotte, chauffer l'huile à feu moyen, ajouter l'oignon et l'agneau, et cuire 5 minutes à feu moyen, jusqu'à ce que la viande soit uniformément dorée. Ajouter l'ail, le bouillon, le zeste et le jus d'orange, le miel, le bâton de cannelle et le gingembre, et porter à ébullition. Réduire le feu, couvrir et laisser mijoter 45 minutes.

2 À l'aide d'un couteau tranchant, couper l'aubergine en deux dans la longueur et détailler en fines lamelles. Ajouter dans la cocotte, et incorporer les tomates et les abricots. Couvrir et cuire encore 45 minutes, jusqu'à ce que l'agneau soit tendre.

3 Incorporer la coriandre, saler et poivrer. Servir immédiatement, directement dans la cocotte, accompagné de semoule.

agneau aux tomates, aux artichauts & aux olives

ingrédients

POUR 4 PERSONNES

4 cuil. à soupe de yaourt
   nature

zeste râpé de 1 citron

2 gousses d'ail, hachées

3 cuil. à soupe d'huile d'olive

1 cuil. à café de cumin
   en poudre

sel et poivre

700 g d'agneau, désossé,
   dégraissé et coupé
   en cubes

1 oignon, finement émincé

150 ml de vin blanc sec

450 g de tomates,
   concassées

1 cuil. à soupe de concentré
   de tomate

1 pincée de sucre

2 cuil. à soupe d'origan frais
   haché ou 1 cuil. à café
   d'origan séché

2 feuilles de laurier

85 g d'olives kalamata

400 g de cœurs d'artichauts
   en boîte, égouttés
   et hachés

méthode

1 Dans une terrine, mettre le yaourt, le zeste de citron, l'ail, 1 cuillerée à soupe d'huile d'olive, le cumin, du sel et du poivre, et bien mélanger le tout. Ajouter l'agneau, couvrir et laisser mariner au moins 1 heure.

2 Dans une cocotte, chauffer 1 cuillerée à soupe d'huile, ajouter l'agneau et faire revenir 5 minutes en remuant souvent, jusqu'à ce qu'il soit uniformément doré. Retirer de la cocotte à l'aide d'une écumoire et réserver. Ajouter l'huile restante et l'oignon, et faire revenir 5 minutes, jusqu'à ce que l'oignon soit tendre.

3 Déglacer avec le vin en grattant bien le fond de la cocotte de façon à détacher les sucs, porter à ébullition et réduire le feu. Remettre la viande dans la cocotte et incorporer les tomates, le concentré de tomate, le sucre, l'origan et les feuilles de laurier.

4 Couvrir et cuire environ 1 h 30, jusqu'à ce que l'agneau soit tendre. Incorporer les olives et les artichauts, et laisser mijoter encore 10 minutes. Servir très chaud.

moussaka

ingrédients

POUR 4 PERSONNES

2 aubergines, coupées
    en fines rondelles

450 g de viande de bœuf
    maigre hachée

2 oignons, finement émincés

1 cuil. à café d'ail, finement
    haché

400 g de tomates concassées
    en boîte

2 cuil. à soupe de persil frais
    haché

sel et poivre

2 œufs

300 ml de yaourt nature

1 cuil. à soupe de parmesan
    fraîchement râpé

méthode

1 Dans une poêle antiadhésive, faire revenir les rondelles d'aubergine à sec jusqu'à ce qu'elles soient dorées. Retirer de la poêle et réserver.

2 Mettre la viande dans la poêle et faire revenir 5 minutes, jusqu'à ce qu'elle soit dorée. Incorporer les oignons et l'ail, et cuire encore 5 minutes, jusqu'à ce qu'ils soient dorés. Ajouter les tomates et le persil, saler et poivrer. Porter à ébullition et laisser mijoter 20 minutes, jusqu'à ce que la viande soit tendre.

3 Répartir la moitié des rondelles d'aubergine en une seule couche dans un plat à gratin, ajouter la préparation à base de viande et garnir des rondelles d'aubergine restantes.

4 Casser les œufs dans une terrine, incorporer le yaourt, saler et poivrer. Battre le tout, napper les rondelles d'aubergine et saupoudrer de parmesan râpé. Cuire au four préchauffé 45 minutes à 180 °C (th. 6), jusqu'à ce que la moussaka soit dorée. Servir directement dans le plat.

côtelettes de porc marinées à l'italienne

ingrédients

POUR 4 PERSONNES

4 côtelettes de porc

4 feuilles de sauge fraîches

2 cuil. à soupe de câpres
   au gros sel

2 gros cornichons, hachés

1 petite salade,
   en accompagnement

pain à l'ail,
   en accompagnement
   (facultatif)

marinade

4 cuil. à soupe de vin blanc

1 cuil. à soupe de sucre roux

2 cuil. à soupe d'huile d'olive

1 cuil. à café de moutarde
   de Dijon

méthode

1 Dégraisser les côtelettes, mettre dans une terrine et garnir de feuilles de sauge. Retirer le sel des câpres avec les doigts, répartir sur les côtelettes et ajouter les cornichons.

2 Mélanger le vin, le sucre, l'huile et la moutarde, et napper les côtelettes. Couvrir de film alimentaire et laisser mariner 2 heures dans un endroit frais.

3 Égoutter les côtelettes en réservant la marinade. Cuire au barbecue 5 minutes de chaque côté au-dessus de braises très chaudes et cuire encore 10 minutes de chaque côté au-dessus de braises moyennement chaudes en arrosant de marinade de temps en temps. La viande doit être cuite et bien tendre.

4 Servir immédiatement accompagné de salade et de pain à l'ail.

côtelettes de porc & leur beurre au bleu et au noix

ingrédients

POUR 4 PERSONNES

4 côtelettes de porc

salade, en accompagnement

marinade

4 cuil. à soupe d'huile
de maïs

2 cuil. à soupe de jus
de citron

1 cuil. à soupe de romarin frais
haché

1 cuil. à soupe de thym frais
haché

2 cuil. à soupe de persil frais
haché

1 gousse d'ail, finement
hachée

1 oignon, finement haché

sel et poivre

beurre au bleu et au noix

55 g de beurre

4 oignons verts, finement
hachés

140 g de gorgonzola
ou autre bleu, émietté

2 cuil. à soupe de noix
finement hachées

méthode

1 Dégraisser les côtelettes et mettre dans une terrine. Mélanger l'huile, le jus de citron, le romarin, le thym, le persil, l'ail et l'oignon, saler, poivrer et bien battre le tout. Enrober les côtelettes du mélange obtenu, couvrir et laisser mariner une nuit au réfrigérateur.

2 Pour le beurre aromatisé, faire fondre la moitié du beurre dans une poêle, ajouter les oignons verts et cuire quelques minutes à feu doux en remuant de temps en temps, jusqu'à ce qu'ils soient tendres. Transférer le tout dans une terrine, incorporer le beurre restant, le fromage et les noix, et façonner un rouleau. Couvrir et réserver au réfrigérateur.

3 Égoutter les côtelettes en réservant la marinade. Cuire au barbecue 5 minutes de chaque côté au-dessus de braises très chaudes et cuire encore 10 minutes de chaque côté au-dessus de braises moyennement chaudes en arrosant de marinade de temps en temps. La viande doit être cuite et bien tendre. Transférer dans des assiettes, garnir de 2 ou 3 lamelles de beurre au bleu et aux noix, et servir immédiatement.

saucisses aux lentilles

ingrédients

POUR 4 À 6 PERSONNES

2 cuil. à soupe d'huile d'olive

12 merguez

2 oignons, finement hachés

2 poivrons rouges, épépinés
et hachés

1 poivron orange ou jaune,
épépiné et haché

280 g de petites lentilles
vertes, rincées

1 cuil. à café de thym
ou de marjolaine séchés

500 ml de bouillon
de légumes

sel et poivre

4 cuil. à soupe de persil plat
frais haché

vinaigre de vin rouge,
pour servir

méthode

1 Dans une poêle antiadhésive, chauffer l'huile,
ajouter les saucisses et cuire 10 minutes en
remuant souvent, jusqu'à ce qu'elles soient
cuites et uniformément dorées. Retirer de la
poêle et réserver.

2 Ne conserver que l'équivalent de 2 cuillerées
à soupe de matière grasse dans la poêle. Ajouter
les oignons et les poivrons, et cuire 5 minutes,
jusqu'à ce qu'ils soient tendres, sans avoir
doré. Ajouter les lentilles et le thym, et bien
mélanger le tout.

3 Mouiller avec le bouillon, porter à ébullition
et réduire le feu. Couvrir et laisser mijoter
30 minutes, jusqu'à ce que les lentilles soient
tendres et que tout le liquide soit absorbé.
Si les lentilles sont tendres mais qu'il reste
encore trop de liquide, retirer le couvercle
et laisser mijoter à feu vif. Saler et poivrer.

4 Remettre les saucisses dans la poêle, bien
réchauffer et incorporer le persil. Répartir
la préparation obtenue dans des assiettes
et arroser d'un trait de vinaigre de vin rouge.

brochettes à la grecque

ingrédients

POUR 4 À 6 PERSONNES

1 petit oignon, finement haché

1 cuil. à soupe de coriandre fraîche hachée

1 bonne pincée de paprika

$1/4$ de cuil. à café de poudre de quatre-épices

$1/4$ de cuil. à café de coriandre en poudre

$1/4$ de cuil. à café de sucre roux

450 g de viande de bœuf haché

sel et poivre

huile, pour graisser

feuilles de coriandre fraîche, en garniture

boulghour ou riz, et mesclun, en accompagnement

méthode

1 En cas d'utilisation de brochettes en bois, faire tremper 30 minutes dans de l'eau froide.

2 Dans une terrine, mettre l'oignon, la coriandre fraîche, les épices, le sucre et le bœuf, bien mélanger le tout, saler et poivrer.

3 Façonner des saucisses avec la préparation obtenue autour des brochettes avec les mains. Enduire légèrement d'huile.

4 Cuire les brochettes au barbecue 15 à 20 minutes au-dessus de braises très chaudes, jusqu'à ce qu'elles soient bien cuites. Répartir du boulghour ou du riz sur des assiettes, ajouter les brochettes et garnir de feuilles de coriandre fraîche. Servir accompagné de mesclun.

osso bucco aux agrumes

ingrédients

POUR 6 PERSONNES

1 à 2 cuil. à soupe de farine

sel et poivre

6 médaillons de veau

2 à 3 cuil. à soupe d'huile
    d'olive

250 g d'oignons, très
    finement hachés

250 g de carottes, finement
    hachées

1 kg de tomates fraîches,
    mondées, épépinées
    et coupées en dés,
    ou 800 g de tomates
    concassées en boîte,
    égouttées et passées
    au tamis

250 ml de vin blanc sec

250 ml de bouillon de veau

6 grosses feuilles de basilic,
    ciselées

1 grosse gousse d'ail, très
    finement hachée

zeste finement râpé
    de 1 citron

zeste finement râpé
    de 1 orange

2 cuil. à soupe de persil plat
    frais haché

pain frais,
    en accompagnement

méthode

1 Tamiser la farine dans un sac en plastique, saler, poivrer et ajouter la viande. Secouer jusqu'à ce que le tout soit bien enrobé, retirer du sac et secouer de nouveau la viande de façon à retirer l'excédent.

2 Dans une cocotte, chauffer 1 cuillerée à soupe d'huile, ajouter la viande et cuire 10 minutes de chaque côté, jusqu'à ce qu'elle soit bien dorée. Retirer de la cocotte.

3 Verser éventuellement 1 à 2 cuillerée à soupe d'huile dans la cocotte, ajouter les oignons et cuire 5 minutes sans cesser de remuer, jusqu'à ce qu'ils soient tendres. Incorporer les carottes et cuire jusqu'à ce qu'elles soient tendres.

4 Ajouter les tomates et le basilic, mouiller avec le vin et le bouillon, et remettre la viande dans la cocotte. Porter à ébullition, réduire le feu et couvrir. Laisser mijoter 1 heure. Vérifier la cuisson en piquant la lame d'un couteau et cuire encore 10 minutes si nécessaire.

5 Ajouter l'ail, le zeste de citron et le zeste d'orange, couvrir et cuire encore 10 minutes. Rectifier l'assaisonnement, garnir de persil et servir accompagné de pain frais.

veau & sa sauce au thon

ingrédients

POUR 4 PERSONNES

750 g de filets de veau

2 carottes, coupées en fines
    rondelles

1 oignon, finement émincé

2 branches de céleri,
    finement émincées

2 clous de girofle

2 feuilles de laurier

1 litre de vin blanc sec

sel et poivre

rondelles de citron
    et persil plat frais haché,
    en garniture

sauce au thon

140 g de thon en boîte,
    égoutté

4 filets d'anchois, égouttés
    et hachés

55 g de câpres, rincées
    et finement hachées

55 g de cornichons, égouttés
    et finement hachés

2 jaunes d'œufs

4 cuil. à soupe de jus de citron

125 ml d'huile d'olive vierge
    extra

méthode

1 Dans une terrine non métallique, mettre le veau, les carottes, l'oignon, le céleri, les clous de girofle, le laurier et le vin, mélanger et couvrir de film alimentaire. Laisser mariner une nuit au réfrigérateur.

2 Égoutter le veau en réservant la marinade. Enrouler les filets, envelopper dans un torchon et maintenir à l'aide de ficelle de cuisine. Mettre dans une casserole. Dans une autre casserole, porter la marinade à ébullition, verser sur le veau et couvrir d'eau bouillante. Saler, poivrer et porter de nouveau à ébullition. Réduire le feu, couvrir et laisser mijoter 1 h 30, jusqu'à ce que la viande soit tendre mais ferme. Transférer sur un plat, laisser refroidir et réserver au réfrigérateur. Filtrer le liquide de cuisson, transférer dans une terrine et réserver.

3 Pour la sauce, mettre le thon, les anchois, les câpres et les cornichons dans un robot de cuisine et réduire en purée. Battre les jaunes d'œufs avec le jus de citron, incorporer l'huile goutte à goutte puis en filet sans cesser de battre et ajouter à la purée. Incorporer 2 cuillerées à soupe du liquide de cuisson réservé, saler et poivrer. Couvrir de film alimentaire et réserver au réfrigérateur.

4 Retirer le veau du torchon, sécher et couper en tranches très fines. Disposer sur un plat de service, napper de sauce et garnir de rondelles de citron et de persil.

paëlla au porc & au chorizo

ingrédients

POUR 4 À 6 PERSONNES

1,3 l de fumet de poisson
   ou d'eau

12 grosses crevettes crues

½ cuil. à café de filaments
   de safran

2 cuil. à soupe d'eau chaude

100 g de blanc de poulet,
   désossé et sans la peau,
   coupé en dés de 1 cm

100 g de filet de porc, coupé
   en dés de 1 cm

3 cuil. à soupe d'huile d'olive

100 g de chorizo, coupé
   en dés de 1 cm

1 gros oignon rouge, haché

2 gousses d'ail, hachées

½ cuil. à café de poivre
   de Cayenne

½ cuil. à café de paprika

1 poivron vert et 1 poivron
   rouge, épépinés et émincés

12 tomates cerises, coupées
   en deux

375 g de riz pour paëlla

1 cuil. à soupe de persil frais
   haché

2 cuil. à café d'estragon frais
   haché

sel et poivre

méthode

1 Dans une casserole, verser le fumet, porter
à ébullition et ajouter les crevettes. Cuire
2 minutes, transférer dans un bol et réserver.
Laisser le fumet mijoter. Plonger le safran
dans l'eau chaude et laisser infuser.

2 Saler et poivrer le poulet et le porc. Dans un
plat à paëlla, chauffer l'huile, ajouter le poulet,
le porc et le chorizo, et cuire 5 minutes à feu
moyen sans cesser de remuer, jusqu'à ce que
la viande soit dorée. Ajouter l'oignon et cuire
sans cesser de remuer jusqu'à ce qu'il soit
tendre. Ajouter l'ail, le poivre de Cayenne, le
paprika et le safran avec le liquide de trempage,
et cuire encore 1 minute sans cesser de remuer.
Ajouter les poivrons et les tomates, et cuire
2 minutes.

3 Ajouter le riz et les fines herbes et cuire
1 minute sans cesser de remuer. Mouiller avec
1,25 l de bouillon, porter à ébullition et laisser
mijoter 10 minutes sans couvrir. Ne pas remuer
pendant la cuisson mais secouer le plat une
ou deux fois en ajoutant les ingrédients. Saler
et poivrer, et cuire encore 10 minutes, jusqu'à
ce que le riz soit presque cuit. Mouiller avec
du bouillon supplémentaire si nécessaire,
ajouter les crevettes et cuire encore 2 minutes.

4 Retirer du feu dès que tout le liquide est
absorbé et qu'une délicate odeur de grillé se
dégage. Couvrir de papier d'aluminium, laisser
reposer 5 minutes et servir.

paëlla printanière

ingrédients

1/2 cuil. à café de filaments
  de safran

2 cuil. à soupe d'eau chaude

3 cuil. à soupe d'huile d'olive

175 g de jambon serrano,
  coupé en dés

1 carotte, coupée en dés

150 g de champignons
  de Paris

4 oignons verts, coupés en dés

2 gousses d'ail, hachées

1 cuil. à café de paprika

1/4 de cuil. à café de poivre
  de Cayenne

225 g de tomates, mondées
  et coupées en quartiers

1 poivron rouge et 1 poivron
  vert, épépinés, mondés
  et coupés en lanières

350 g de riz pour paëlla

2 cuil. à soupe de fines
  herbes fraîches hachées,
  un peu plus en garniture

100 ml de vin blanc

1,25 l de bouillon de poule
  frémissant

55 g de petits pois

100 g de pointes d'asperges
  vertes, blanchies

sel et poivre

quartiers de citron, en garniture

méthode

1 Mettre le safran dans l'eau chaude et laisser infuser.

2 Dans un plat à paëlla, chauffer 2 cuillerées à soupe d'huile, ajouter le jambon et cuire 5 minutes à feu moyen. Transférer dans un bol et réserver. Verser l'huile restante dans le plat, ajouter la carotte et cuire 3 minutes sans cesser de remuer. Ajouter les champignons et cuire 2 minutes sans cesser de remuer. Ajouter les oignons verts, l'ail, le paprika, le poivre de Cayenne et le safran avec le liquide de trempage, et cuire 1 minute sans cesser de remuer. Ajouter les tomates et les poivrons, et cuire encore 2 minutes sans cesser de remuer.

3 Ajouter le riz et les fines herbes, et cuire 1 minute sans cesser de remuer. Mouiller avec le vin et 1 litre de bouillon, porter à ébullition et laisser mijoter 10 minutes sans couvrir. Ne pas remuer pendant la cuisson mais secouer le plat une ou deux fois en ajoutant les ingrédients. Saler et poivrer, ajouter les petits pois et cuire encore 10 minutes, jusqu'à ce que le riz soit cuit. Mouiller avec du bouillon supplémentaire si nécessaire. Remettre le jambon dans le plat, garnir de pointes d'asperges et cuire 2 minutes.

4 Retirer du feu dès que tout le liquide est absorbé et qu'une délicate odeur de grillé se dégage. Couvrir de papier d'aluminium, laisser reposer 5 minutes et servir accompagné de quartiers de citron.

poulet à la marocaine

ingrédients

POUR 4 PERSONNES

marinade

3 cuil. à soupe d'huile d'olive

4 cuil. à soupe de jus
de citron

2 cuil. à soupe de persil plat
frais haché

2 cuil. à soupe de coriandre
fraîche hachée

1 gousse d'ail, finement
hachée

1 cuil. à café de coriandre
en poudre

$1/2$ cuil. à café de cumin
en poudre

1 cuil. à café de paprika doux

1 pincée de poudre de piment

4 blancs de poulet, désossés
et sans la peau, de 140 g
chacun

salade

200 g de carottes

200 g de chou blanc

100 g de germes de soja

50 g de germes d'alfalfa

100 g de raisins secs

1 cuil. à soupe de jus de citron

pain marocain grillé,
en accompagnement

méthode

1 Dans une terrine non métallique, mettre l'huile, le jus de citron, le persil, la coriandre fraîche, l'ail, la coriandre en poudre, le cumin, le paprika et la poudre de piment, et bien mélanger le tout.

2 À l'aide d'un couteau tranchant, pratiquer 3 à 4 incisions dans chaque blanc de poulet, ajouter le poulet dans la terrine et couvrir de film alimentaire. Laisser mariner 2 à 3 heures dans un endroit frais en retournant de temps en temps.

3 Égoutter le poulet en réservant la marinade et cuire au barbecue 20 à 30 minutes au-dessus de braises très chaudes en arrosant régulièrement de marinade, jusqu'à ce qu'il soit tendre et bien cuit. Saler et poivrer.

4 Pour la salade, peler les carottes, râper et mettre dans un saladier. Râper le chou, rincer à l'eau courante, égoutter et ajouter dans le saladier. Rincer les germes de soja et d'alfalfa, égoutter et ajouter dans le saladier. Rincer les raisins secs, égoutter et ajouter dans le saladier. Arroser de jus de citron et bien mélanger le tout.

5 Servir le poulet accompagné de salade et de pain marocain grillé.

tajine de poulet

ingrédients

POUR 4 PERSONNES

1 cuil. à soupe d'huile d'olive

1 oignon, coupé en quartiers

2 à 4 gousses d'ail, émincées

450 g de poulet, sans la peau
et désossé, coupé en dés

1 cuil. à café de cumin
en poudre

2 bâtons de cannelle,
très légèrement écrasés

1 cuil. à soupe de farine
complète

225 g d'aubergines, coupées
en dés

1 poivron rouge, épépiné
et coupé en dés

85 g de champignons
de Paris, émincés

1 cuil. à soupe de concentré
de tomate

625 ml de bouillon de poule

280 g de pois chiches en boîte,
égouttés et rincés

55 g d'abricots secs, hachés

sel et poivre

1 cuil. à soupe de coriandre
fraîche hachée

méthode

1 Dans une casserole, chauffer l'huile à feu moyen, ajouter l'oignon et l'ail, et faire revenir 3 minutes en remuant souvent. Ajouter le poulet et cuire encore 2 minutes sans cesser de remuer. Ajouter le cumin et les bâtons de cannelle, et cuire 3 minutes jusqu'à ce que le poulet soit uniformément saisi.

2 Saupoudrer de farine et cuire 2 minutes sans cesser de remuer. Ajouter l'aubergine, le poivron et les champignons, et cuire encore 2 minutes sans cesser de remuer.

3 Délayer le concentré de tomate dans le bouillon, verser dans la casserole et porter à ébullition. Réduire le feu, ajouter les pois chiches et les abricots, et couvrir. Laisser mijoter 15 à 20 minutes, jusqu'à ce que le poulet soit tendre.

4 Saler, poivrer et servir immédiatement, garni de coriandre fraîche hachée.

poulet au citron confit à l'espagnole

ingrédients

POUR 4 PERSONNES

1 cuil. à soupe de farine

4 découpes de poulet, avec la peau

2 cuil. à soupe d'huile d'olive

2 gousses d'ail, hachées

1 gros oignon espagnol, finement émincé

750 ml de bouillon de poule non salé

1/2 cuil. à café de filaments de safran

2 poivrons jaunes, épépinés et coupés en quartiers

2 citrons confits, coupés en quartier

250 g de riz basmati

poivre blanc

12 olives vertes farcies au piment

coriandre fraîche hachée, en garniture

méthode

1 Mettre la farine dans un sac en plastique, ajouter le poulet et secouer de façon à bien l'enrober de farine.

2 Dans une poêle, chauffer l'huile à feu doux, ajouter l'ail et cuire 1 minute sans cesser de remuer. Ajouter le poulet et cuire 5 minutes à feu moyen en remuant souvent, jusqu'à ce que la peau soit légèrement dorée. Transférer sur une assiette et réserver. Ajouter l'oignon dans la poêle et cuire 10 minutes en remuant de temps en temps, jusqu'à ce qu'il soit tendre.

3 Mettre le bouillon et le safran dans une casserole et réchauffer à feu doux.

4 Transférer le poulet, l'ail et l'oignon dans une cocotte allant au four, ajouter les poivrons, les citrons, le riz et le bouillon safrané et poivrer.

5 Couvrir et cuire au four préchauffé 50 minutes à 180 °C (th. 6), jusqu'à ce que le poulet soit tendre et bien cuit. Réduire la température du four à 160 °C (th. 5-6), ajouter les olives et cuire encore 10 minutes.

6 Servir immédiatement parsemé de coriandre fraîche hachée.

poulet à l'estragon

ingrédients

POUR 4 PERSONNES

4 blancs de poulet de 175 g
    chacun avec la peau

sel et poivre

30 g de beurre

1 cuil. à soupe d'huile
    de tournesol

sauce à l'estragon

2 cuil. à soupe de vinaigre
    à l'estragon

6 cuil. à soupe de vin blanc
    sec

250 ml de bouillon de poule

4 brins d'estragon frais, plus
    2 cuil. à soupe d'estragon
    frais haché

300 ml de crème aigre
    ou de crème fraîche
    épaisse

méthode

1 Saler et poivrer les blancs de poulet. Dans une poêle assez large pour contenir les blancs de poulet en une seule couche, chauffer le beurre et l'huile à feu moyen à vif, ajouter le poulet côté peau vers le bas et faire revenir jusqu'à ce qu'il soit doré.

2 Transférer le poulet dans un plat allant au four et cuire au four préchauffé 15 à 20 minutes à 190 °C (th. 6-7), jusqu'à ce qu'il soit tendre. Pour tester la cuisson, piquer la partie la plus charnue à l'aide d'une brochette, il doit rendre un jus clair. Transférer sur un plat de service, couvrir de papier d'aluminium, face brillante vers le bas, et réserver.

3 Pour la sauce à l'estragon, dégraisser le jus de cuisson du poulet, chauffer le plat à feu moyen à vif et ajouter le vinaigre. Racler le plat de façon à détacher les sucs, verser le vin et porter à ébullition sans cesser de racler le plat. Laisser bouillir jusqu'à ce que le liquide ait réduit de moitié.

4 Incorporer le bouillon et les brins d'estragon, et laisser bouillir jusqu'à ce que le liquide ait réduit à 125 ml. Incorporer la crème aigre et laisser bouillir jusqu'à ce que la sauce ait réduit de moitié. Jeter les brins d'estragon, rectifier l'assaisonnement et ajouter l'estragon haché.

5 Couper le poulet en lamelles, répartir dans des assiettes et servir nappé de sauce.

tourte au poulet

ingrédients

POUR 6 À 8 PERSONNES

1 poulet de 1,5 kg

1 petit oignon, coupé en deux, et 3 gros oignons, hachés

1 carotte, coupée en fines rondelles

1 branche de céleri, coupée en fines rondelles

zeste de 1 citron

1 feuille de laurier

10 grains de poivre

155 g de beurre

55 g de farine

150 ml de lait

sel et poivre

25 g de fromage de type romano, râpé

3 œufs, battus

225 g de pâte filo (procéder en utilisant une feuille à la fois et en réservant les feuilles restantes sous un torchon humide)

méthode

1 Dans une casserole, mettre le poulet, l'oignon coupé en deux, la carotte, le céleri, le zeste de citron, le laurier et les grains de poivre, couvrir d'eau froide et porter à ébullition. Couvrir et cuire 1 heure, jusqu'à ce que le poulet soit cuit.

2 Retirer le poulet et réserver. Porter le contenu de la casserole à ébullition et laisser bouillir jusqu'à obtention de 625 ml de liquide. Filtrer et réserver. Couper le poulet en morceaux de la taille d'une bouchée en jetant la peau et les os.

3 Dans une poêle, chauffer 55 g de beurre, ajouter les oignons hachés et faire revenir jusqu'à ce qu'ils soient tendres. Ajouter la farine et cuire 1 à 2 minutes sans cesser de remuer. Incorporer progressivement le bouillon réservé et le lait, porter à ébullition sans cesser de remuer et laisser mijoter 1 à 2 minutes. Retirer du feu, ajouter le poulet, saler et poivrer. Laisser refroidir et ajouter le fromage et les œufs.

4 Faire fondre le beurre restant et graisser un plat métallique de 30 x 20 cm. Couper les feuilles de pâte filo en deux dans la longueur, chemiser la base du plat avec une feuille et enduire de beurre. Répéter l'opération avec la moitié des feuilles restantes, répartir la garniture et couvrir avec les feuilles de pâte restantes en enduisant chacune de beurre fondu.

5 Inciser la surface en 6 à 8 losanges et cuire au four préchauffé 50 minutes à 190 °C (th. 6-7), jusqu'à ce que la tourte soit dorée.

brochettes de poulet
& leur sauce au yaourt

ingrédients

POUR 4 PERSONNES

300 ml de yaourt nature

2 gousses d'ail, hachées

jus de 1/2 citron

1 cuil. à soupe de fines
   herbes fraîches hachées,
   origan, aneth, estragon
   ou persil, par exemple

sel et poivre

4 gros blancs de poulet,
   désossés et sans la peau

huile de maïs, pour graisser

8 grosses tiges de romarin
   frais (facultatif)

romaine ciselée et riz,
   en accompagnement

quartiers de citron,
   en garniture

méthode

1 Pour la sauce, mettre le yaourt, l'ail, le jus de citron et les fines herbes dans une terrine, saler et poivrer, et bien mélanger le tout.

2 Couper le poulet en cubes de 4 cm, ajouter dans la terrine et bien mélanger. Couvrir, mettre au réfrigérateur et laisser mariner 1 heure. En cas d'utilisation de brochettes en bois, faire tremper 30 minutes dans de l'eau froide.

3 Préchauffer un gril en fonte. Piquer les cubes de poulet sur 8 brochettes métalliques ou en bois, ou éventuellement sur des brins de romarin effeuillés. Huiler le gril et ajouter les brochettes.

4 Cuire les brochettes 15 minutes en les retournant souvent et en arrosant régulièrement de marinade, jusqu'à ce qu'elles soient légèrement dorées et bien tendres.

5 Verser la marinade restante dans une casserole et réchauffer à feu doux sans laisser bouillir. Servir les brochettes nappées de marinade, garnies de quartiers de citron et accompagnées de romaine ciselée et de riz.

poulet à la ricotta et au pesto & sa vinaigrette à la tomate

ingrédients

POUR 4 PERSONNES

1 cuil. à soupe de pesto

115 g de ricotta

4 blancs de poulet de 175 g
   chacun

1 cuil. à soupe d'huile d'olive

poivre

laitue, en garniture

vinaigrette à la tomate

100 ml d'huile d'olive

1 botte de ciboulette fraîche

500 g de tomates, mondées,
   épépinées et hachées

jus et zeste finement râpé
   de 1 citron vert

sel et poivre

méthode

1 Incorporer le pesto à la ricotta et bien battre le tout. À l'aide d'un couteau tranchant, pratiquer de petites incisions dans les blancs de poulet, farcir chaque incision du mélange à base de ricotta et presser le poulet de façon à bien refermer les incisions. Mettre le poulet sur une assiette, couvrir et laisser reposer 30 minutes au réfrigérateur.

2 Pour la vinaigrette, verser l'huile d'olive dans un robot de cuisine, ajouter la ciboulette et mixer jusqu'à obtention d'une consistance homogène. Racler les parois du robot de cuisine, incorporer les tomates, le jus et le zeste de citron vert, saler et poivrer.

3 Enduire le poulet d'huile d'olive et poivrer. Faire griller au barbecue 8 minutes de chaque côté au-dessus de braises très chaudes, jusqu'à ce qu'il soit bien cuit et tendre. Transférer sur des assiettes, napper de vinaigrette à la tomate et servir immédiatement, garni de laitue.

poisson &
fruits de mer

Le littoral côtier des pays méditerranéens s'étire en longueur, et le poisson, excellente source de protéines, pauvre en graisses mais riche en vitamines B 12 (en fer, et en acides gras essentiels tels que les oméga 3) est l'un des ingrédients essentiels de leur cuisine, si bénéfique pour la santé.

Le poisson et les fruits de mer sont pêchés et ramenés tous les jours pour être préparés, tout frais sortis de l'eau. La méthode la plus simple consiste à faire bouillir, griller, ou cuire le poisson à la poêle avec de l'huile d'olive, du citron et des herbes. Riches de cette manne venue de la mer, les autochtones sont devenus merveilleusement créatifs avec leurs plats de poisson !

Les ragoûts de poisson permettent d'utiliser directement la prise du jour, parce qu'ils accueillent une grande variété d'ingrédients. Goûtez le ragoût marseillais ou le ragoût de Livourne, recette originaire du port italien de Livourne, le ragoût de thon à l'espagnole ou le tajine de poisson marocain.

Si vous préférez la simplicité, d'autres choix s'offrent à vous : celui du cabillaud à la catalane, du vivaneau aux câpres et aux olives, du bar que vous ferez cuire au barbecue avant de le servir avec des artichauts marinés, et du thon à la sicilienne. Ces recettes élémentaires sont remarquables. Lancez-vous !

lotte grillée

ingrédients

POUR 4 PERSONNES

675 g de queue de lotte,
  sans la peau

4 à 5 grosses gousses d'ail,
  hachée

sel et poivre

3 cuil. à soupe d'huile d'olive

1 oignon, coupé en quartiers

1 aubergine d'environ 300 g,
  coupée en cubes

1 poivron rouge, épépiné
  et coupé en quartiers

1 poivron jaune, épépiné
  et coupé en quartiers

1 grosse courgette d'environ
  225 g, coupée en cubes

1 cuil. à soupe de basilic frais
  ciselé

méthode

1 Retirer l'arête centrale du poisson et pratiquer de petites incisions dans chaque filet. Couper 2 gousses d'ail en fines rondelles et farcir les incisions. Mettre le poisson sur du papier sulfurisé, saler, poivrer et arroser de 1 cuillerée à soupe d'huile. Replier hermétiquement le papier sulfurisé en papillote et réserver.

2 Mettre l'ail restant et tous les légumes dans un plat allant au four, arroser avec l'huile d'olive restante et bien mélanger le tout.

3 Cuire au four préchauffé 20 minutes à 200 °C (th. 6-7) en remuant de temps en temps. Déposer les papillotes sur les légumes et cuire encore 15 à 20 minutes, jusqu'à ce que les légumes soient tendres et que le poisson soit bien cuit.

4 Retirer du four, ouvrir les papillotes et couper la lotte en lamelles épaisses. Répartir les légumes sur des assiettes chaudes, garnir de lamelles de poisson et garnir de basilic. Servir immédiatement.

cabillaud à la basque

ingrédients

POUR 4 PERSONNES

3 cuil. à soupe d'huile d'olive

4 cabillaud de 175 g chacun,
    peau et arêtes retirées,
    rincées et séchées

1 cuil. à soupe de farine

sel et poivre

1 gros oignon, finement
    haché

4 grosses tomates, mondées,
    épépinées et concassées

2 grosses gousses d'ail,
    pelées

150 ml de vin blanc sec

1/2 cuil. à café de paprika

2 poivrons rouges, mondés,
    épépinés et coupés
    en lanières

2 poivrons verts, mondés,
    épépinés et coupés
    en lanières

zeste de 1 citron, coupé
    en grosses lanières

persil frais finement haché,
    en garniture

méthode

1 Dans une cocotte, chauffer 1 cuillerée à soupe d'huile d'olive à feu moyen à vif. Saupoudrer légèrement de farine une face de chaque filet, saler et poivrer.

2 Ajouter le poisson dans la cocotte, face farinée dans l'huile, et cuire 2 minutes, jusqu'à ce qu'il soit doré. Retirer de la cocotte et réserver. Rincer la cocotte, chauffer l'huile restante à feu moyen à vif, ajouter l'oignon et faire revenir 5 minutes, jusqu'à ce qu'il soit tendre sans laisser dorer.

3 Incorporer les tomates, l'ail, le vin et le paprika, saler, poivrer et porter à ébullition. Réduire le feu et laisser mijoter 5 minutes en remuant de temps en temps.

4 Incorporer les poivrons, ajouter les lanières de zeste et porter à ébullition. Déposer les filets de poisson dessus, face dorée vers le haut, saler et poivrer. Couvrir et cuire au four préchauffé 12 à 15 minutes à 200 °C (th. 6-7), jusqu'à ce que le poisson soit cuit et s'effeuille facilement.

5 Jeter le zeste de citron et servir le cabillaud sur un lit de légumes, garni de persil frais.

cabillaud à la catalane

ingrédients

POUR 4 PERSONNES

55 g de raisins secs

55 g de pignons

4 cuil. à soupe d'huile d'olive
vierge extra

3 gousses d'ail, hachées

500 g de pousses d'épinards
fraîches, rincées
et égouttées

4 filets de cabillaud de 175 g
chacun

huile d'olive

sel et poivre

tomates coupées en deux
et quartiers de citron,
en garniture

méthode

1 Dans un bol, mettre les raisins secs, couvrir d'eau chaude et laisser tremper 15 minutes. Égoutter.

2 Chauffer une poêle à feu moyen à vif, ajouter les pignons et faire griller à sec 1 à 2 minutes en secouant régulièrement la poêle, jusqu'à ce qu'ils soient bien dorés. Veiller à ne pas laisser brûler.

3 Dans une autre poêle, chauffer l'huile à feu moyen à vif, ajouter l'ail et cuire 2 minutes, jusqu'à ce qu'il soit doré, sans laisser brunir. Retirer de la poêle à l'aide d'une écumoire et jeter.

4 Ajouter les épinards à l'huile aillée, couvrir et cuire 4 à 5 minutes, jusqu'à ce qu'ils soient flétris. Retirer le couvercle, incorporer les raisins secs et les pignons, et cuire jusqu'à ce que le liquide soit évaporé. Saler, poivrer et réserver au chaud.

5 Enduire les filets d'huile, saler et poivrer. Passer au gril préchauffé 8 à 10 minutes à 10 cm de la source de chaleur, jusqu'à ce que le poisson soit opaque et s'effeuille facilement.

6 Répartir les épinards dans 4 assiettes, ajouter les filets de cabillaud et servir accompagné de tomates et de quartiers de citron.

raie à la sauce aux câpres & à la moutarde

ingrédients

POUR 4 PERSONNES

2 ailes de raie

sauce aux câpres
    & à la moutarde

2 cuil. à soupe d'huile d'olive

1 oignon, finement haché

1 gousse d'ail, finement
    hachée

150 ml de yaourt

1 cuil. à café de jus de citron

1 cuil. à soupe de persil plat
    frais haché, un peu plus
    en garniture

1 cuil. à soupe de câpres,
    hachées

1 cuil. à soupe de moutarde
    à l'ancienne

sel et poivre

quartiers de citron,
    en garniture

méthode

1 Couper chaque aile de raie en deux et mettre dans une grande poêle. Couvrir d'eau salée, porter à ébullition et laisser mijoter 10 à 15 minutes, jusqu'à ce qu'elles soient tendres.

2 Pour la sauce, chauffer l'huile dans une poêle, ajouter l'oignon et l'ail, et cuire 5 minutes, jusqu'à ce qu'ils soient tendres. Ajouter le yaourt, le jus de citron, le persil et les câpres, et cuire 1 à 2 minutes, jusqu'à ce que le tout soit bien chaud. Veiller à ne pas laisser bouillir de sorte que la sauce ne prenne pas un aspect caillé. Incorporer la moutarde, saler et poivrer.

3 Égoutter les ailes de raie, répartir dans 4 assiettes et napper de sauce. Servir chaud, garni de persil et de quartiers de citron.

ragoût à la marseillaise

ingrédients

POUR 4 À 6 PERSONNES

1 pincée de filaments
de safran

2 cuil. à soupe d'huile d'olive

1 gros oignon, finement haché

1 bulbe de fenouil, finement
émincé, frondes réservées

2 grosses gousses d'ail,
hachées

4 cuil. à soupe de pastis

1 litre de fumet de poisson

2 grosses tomates séchées
au soleil, mondées,
épépinées et concassées,
ou 400 g de tomates,
concassées et égouttées

1 cuil. à soupe de concentré
de tomate

1 feuille de laurier

1 pincée de sucre

1 pincée de flocons
de piment (facultatif)

sel et poivre

24 grosses crevettes crues,
décortiquées

1 calmar, paré et coupé
en anneaux de 5 mm,
tentacules réservées

900 g de poisson
méditerranéen, peau
et arêtes retirées

méthode

1 Chauffer une poêle à feu vif, ajouter le safran et faire griller à sec 1 minute en remuant de temps en temps, jusqu'à ce que les arômes se développent. Retirer immédiatement de la poêle et réserver.

2 Dans une cocotte, chauffer l'huile à feu moyen, ajouter l'oignon et le fenouil, et faire revenir 3 minutes. Ajouter l'ail et faire revenir encore 5 minutes, jusqu'à ce que l'oignon et le fenouil soit tendre, sans laisser dorer.

3 Retirer la cocotte du feu. Réchauffer le pastis, arroser les légumes et flamber. Laisser les flammes s'éteindre, remettre dans la cocotte sur le feu et incorporer le fumet, les tomates, le concentré de tomate, le laurier, le sucre et éventuellement les flocons de piment. Saler, poivrer et porter à ébullition et écumer la surface si nécessaire. Retirer le feu et laisser mijoter 15 minutes sans couvrir.

4 Ajouter les crevettes et le calmar, et laisser mijoter jusqu'à ce que les crevettes soient roses et le calmar soit opaque. Veiller à ne pas trop cuire de sorte que le calmar ne durcisse pas. Transférer dans des assiettes à soupe à l'aide d'une écumoire. Ajouter le poisson dans la cocotte et laisser mijoter jusqu'à ce qu'il s'effeuille facilement, en retirant les plus petits morceaux en premier. Ajouter le poisson et le bouillon dans les assiettes à soupe et garnir de frondes de fenouil.

ragoût de livourne

ingrédients

POUR 8 PERSONNES

350 g de chair de homard
 fraîchement cuite

350 g de calmar, paré et
 coupé en anneaux

1,3 kg de filets de vivaneau,
 coupés en grosses lamelles

900 g de filets de cabillaud,
 coupés en grosses lamelles

900 g de filets de lotte,
 coupés en grosses lamelles

sel et poivre

150 ml d'huile d'olive vierge
 extra

2 oignons, hachés

1 carotte, hachée

2 branches de céleri, hachées

350 ml de vin blanc sec

2,25 l d'eau

400 g de tomates en boîte

1 feuille de laurier

1 piment rouge frais, épépiné

1 ciabatta ou 1 baguette,
 coupées en tranches

4 gousses d'ail, pelées

900 g de moules, grattées
 et ébarbées*

4 feuilles de sauge fraîche

* jeter les moules qui restent
fermées après la cuisson

méthode

1 Saler et poivrer la chair de homard, le calmar et les filets de poisson, et réserver.

2 Dans une poêle, chauffer 4 cuillerées à soupe d'huile, ajouter les oignons, la carotte et le céleri, et cuire à feu moyen sans cesser de remuer, jusqu'à ce qu'ils changent de couleur. Mouiller avec 300 ml de vin et l'eau, ajouter les tomates, le laurier et le piment, et porter à ébullition. Cuire 50 minutes, filtrer et réserver 1,25 l.

3 Disposer les tranches de pain sur une plaque, arroser de 2 cuillerées à soupe d'huile d'olive et cuire 10 minutes au four préchauffé à 200 °C (th. 6-7), jusqu'à ce qu'elles soient croustillantes. Frotter chaque tranche avec 1 gousse d'ail.

4 Dans une casserole, mettre les moules, ajouter le vin restant et couvrir. Cuire à feu vif jusqu'à ce qu'elles soient ouvertes. Filtrer le liquide de cuisson et réserver.

5 Hacher l'ail finement. Dans une poêle, chauffer l'huile restante, ajouter la sauge et l'ail, et cuire 1 minute. Ajouter le calmar et cuire 2 à 3 minutes sans cesser de remuer. Retirer à l'aide d'une écumoire.

6 Ajouter le poisson et le bouillon dans la casserole, porter à ébullition et laisser mijoter 5 minutes. Remettre le calmar dans la casserole, ajouter le homard, les moules et 2 cuillerées à soupe du liquide de cuisson, et réchauffer 2 minutes. Servir avec le pain à l'ail.

ragoût de thon à l'espagnole

ingrédients

POUR 4 PERSONNES

4 cuil. à soupe d'huile d'olive

3 échalotes, hachées

2 gousses d'ail, hachées

225 g de tomates concassées
    en boîte

1 cuil. à soupe de concentré
    de tomate

650 g de pommes de terre,
    coupées en rondelles

250 ml de bouillon de légumes

2 cuil. à soupe de jus
    de citron

1 poivron rouge, épépiné
    et haché

1 poivron orange, épépiné
    et haché

20 olives noires, dénoyautées
    et hachées

1 kg de steak de thon, coupé
    en morceaux de la taille
    d'une bouchée

sel et poivre

brins de persil plat frais
    et quartiers de citron,
    en garniture

méthode

1 Dans une poêle, chauffer l'huile à feu doux, ajouter les échalotes et cuire 4 minutes en remuant souvent, jusqu'à ce qu'elles soient tendres. Ajouter l'ail, les tomates et le concentré de tomate, couvrir et laisser mijoter 20 minutes.

2 Dans une cocotte, mettre les pommes de terre, ajouter le bouillon et le jus de citron, et porter à ébullition. Réduire le feu et ajouter les poivrons. Couvrir et cuire 15 minutes.

3 Ajouter les olives, le thon et la préparation à base de tomates, saler et poivrer. Bien mélanger le tout, couvrir et laisser mijoter 7 à 10 minutes, jusqu'à ce que le thon soit cuit selon son goût.

4 Retirer du feu et garnir de quartiers de citron et de brins de persil.

bar grillé aux artichauts marinés

ingrédients

POUR 6 PERSONNES

1,8 kg de petits artichauts

2¹/₂ cuil. à soupe de jus
de citron, plus les moitiés
de citrons pressées

150 ml d'huile d'olive

10 gousses d'ail, finement
émincées

1 cuil. à soupe de thym
frais haché, un peu plus
en garniture

sel et poivre

6 filets de bar de 115 g
chacun

1 cuil. à soupe d'huile
d'olive supplémentaire,
pour graisser

pain frais,
en accompagnement

méthode

1 Retirer les feuilles externes des artichauts de façon à laisser apparaître les feuilles jaune-vert. Retirer la pointe des feuilles restantes, couper les tiges et retirer la base des feuilles externes restées sur le cœur.

2 Procéder en plongeant les artichauts au fur et à mesure dans une terrine remplie d'eau additionnée des moitiés de citron, de sorte que les artichauts ne se décolorent pas. Une fois tous les artichauts parés, couper en fines lamelles dans la hauteur.

3 Dans une grande casserole, chauffer l'huile d'olive, ajouter les lamelles d'artichauts, l'ail, le thym et le jus de citron, saler et poivrer. Couvrir et cuire 20 à 30 minutes à feu doux, jusqu'à ce qu'ils soient tendres, sans laisser se décolorer.

4 Préchauffer un gril en fonte ou préparer un barbecue. Enduire les filets de poisson de 1 cuillerée à soupe d'huile d'olive, saler et poivrer. Cuire les poissons 3 à 4 minutes de chaque côté, jusqu'à ce qu'ils soient tendres.

5 Répartir les artichauts dans 6 assiettes, ajouter les filets de poisson et garnir de thym frais. Servir accompagné de pain frais.

poisson en feuilles de vigne

ingrédients

POUR 4 PERSONNES

2 sars, de 350 g chacun,
   parés et écaillés

feuilles de thym frais
   et quartiers de citron grillés,
   en accompagnement

12 à 16 grandes feuilles
   de vigne

marinade

6 cuil. à soupe d'huile d'olive

2 cuil. à soupe de vin blanc
   ou de xérès sec

2 gousses d'ail, finement
   hachées

2 feuilles de laurier, ciselées

1 cuil. à soupe de feuilles
   de thym frais hachées

1 cuil. à soupe de ciboulette
   fraîche hachée

sel et poivre

méthode

1 Rincer le poisson et sécher avec du papier absorbant. Pratiquer 2 ou 3 incisions en biais sur chaque face et mettre dans une grande terrine. Mélanger l'huile d'olive, le vin blanc, l'ail, le laurier, le thym et la ciboulette, saler et poivrer. Enrober le poisson du mélange obtenu, couvrir et laisser mariner 1 heure.

2 En cas d'utilisation de feuilles de vigne en saumure, faire tremper 20 minutes dans de l'eau bouillante, rincer et sécher. En cas d'utilisation de feuilles fraîches, blanchir 3 minutes à l'eau bouillante, rafraîchir à l'eau courante et sécher.

3 Égoutter le poisson en réservant la marinade. Envelopper chaque poisson de feuilles de vigne, enduire de marinade et cuire au barbecue 6 minutes de chaque côté en enduisant de marinade de temps en temps.

4 Servir garni de feuilles de thym et de quartiers de citron grillés.

vivaneau à l'ail

ingrédients

POUR 4 PERSONNES

2 cuil. à soupe de jus
de citron

4 cuil. à soupe d'huile d'olive,
un peu plus pour graisser

sel et poivre

4 vivaneaux, évidés et écaillés

2 cuil. à soupe de fines
herbes fraîches hachées,
origan, marjolaine, persil
plat ou thym, par exemple

2 gousses d'ail, hachées

2 cuil. à soupe de persil plat
frais haché

quartiers de citron,
en garniture

méthode

1 Préchauffer un gril en fonte. Dans un bol, mettre le jus de citron et l'huile, saler, poivrer et bien battre le tout. Enduire l'intérieur et l'extérieur des poissons du mélange obtenu et parsemer des fines herbes de son choix. Huiler le gril et ajouter les poissons.

2 Cuire les poissons 10 minutes en arrosant régulièrement et en retournant une fois, jusqu'à ce qu'ils soient dorés.

3 Mélanger l'ail et le persil, répartir sur le poisson et servir chaud ou froid, garni de quartiers de citron.

tajine de poisson marocain

ingrédients

POUR 4 PERSONNES

2 cuil. à soupe d'huile d'olive

1 gros oignon, finement
haché

1 bonne pincée de filaments
de safran

$1/2$ cuil. à café de cannelle
en poudre

1 cuil. à café de coriandre
en poudre

$1/2$ cuil. à café de cumin
en poudre

$1/2$ cuil. à café de curcuma
en poudre

200 g de tomates concassées
en boîte

300 ml de fumet de poisson

4 petits vivaneaux, évidés,
arêtes, têtes et queues
retirées

50 g d'olives noires
dénoyautées

1 cuil. à soupe de citron
confit haché

3 cuil. à soupe de coriandre
fraîche hachée

sel et poivre

semoule ou pain frais,
en garniture

méthode

1 Dans une cocotte, chauffer l'huile à feu doux,
ajouter l'oignon et cuire 10 minutes en remuant
de temps en temps, jusqu'à ce qu'il soit tendre,
sans laisser brunir. Ajouter le safran, la cannelle,
la coriandre en poudre, le cumin et le curcuma,
et cuire 30 secondes sans cesser de remuer.

2 Ajouter les tomates, mouiller avec le fumet
et porter à ébullition. Réduire le feu, couvrir et
laisser mijoter 15 minutes. Retirer le couvercle
et laisser mijoter encore 20 à 35 minutes,
jusqu'à ce que la préparation ait épaissi.

3 Couper chaque vivaneau en deux, incorporer
dans la cocotte et laisser mijoter 5 à 6 minutes
à feu doux, jusqu'à ce que le poisson soit juste
cuit.

4 Incorporer délicatement les olives, le citron
confit et la coriandre fraîche, saler et poivrer.
Servir accompagné de semoule ou de pain.

vivaneau aux câpres & aux olives

ingrédients

POUR 4 PERSONNES

700 g de filets de vivaneau
(environ 12 filets)

3 cuil. à soupe de marjolaine
fraîche hachée

sel et poivre

zeste de 1 orange, coupée
en fines lanières

225 g de mesclun, coupé
en gros morceaux

175 ml d'huile d'olive vierge
extra

1 cuil. à soupe de vinaigre
balsamique

1 cuil. à soupe de vinaigre
de vin blanc

1 cuil. à café de moutarde
de Dijon

3 cuil. à soupe d'huile d'olive

1 bulbe de fenouil, coupé
en julienne

sauce

1 cuil. à soupe de beurre

40 g d'olives noires,
dénoyautées et émincées

1 cuil. à soupe de câpres,
égouttées et émincées

méthode

1 Mettre les filets sur une assiette, parsemer de marjolaine, saler et poivrer. Réserver.

2 Blanchir le zeste d'orange 2 minutes à l'eau bouillante, rafraîchir à l'eau courante et égoutter.

3 Mettre le mesclun dans une terrine. Mélanger l'huile d'olive vierge extra, les vinaigres et la moutarde, saler, poivrer et bien battre le tout. Arroser le mesclun, bien mélanger et répartir sur un plat de service.

4 Dans une poêle, chauffer l'huile d'olive, ajouter le fenouil et cuire 1 minute sans cesser de remuer. Retirer de la poêle à l'aide d'une écumoire et réserver au chaud. Mettre les filets de poisson dans la poêle, côté peau vers le bas, et cuire 2 minutes. Retourner délicatement et cuire encore 1 à 2 minutes. Retirer de la poêle et égoutter sur du papier absorbant. Réserver au chaud.

5 Pour la sauce, faire fondre le beurre dans une petite casserole, ajouter les olives et les câpres, et cuire 1 minute sans cesser de remuer.

6 Répartir les filets de poisson sur le mesclun, garnir de zeste d'orange et de fenouil, et napper de sauce. Servir immédiatement.

thon à la sicilienne

ingrédients

POUR 4 PERSONNES

marinade

125 ml d'huile d'olive vierge
extra

4 gousses d'ail, finement
hachées

4 piments rouges frais,
épépinés et finement
hachés

jus et zeste finement râpé
de 2 citrons

4 cuil. à soupe de persil plat
frais finement haché

sel et poivre

4 steaks de thon de 140 g
chacun

2 bulbes de fenouil, émincés
finement dans la hauteur

2 oignons rouges, émincés

2 cuil. à soupe d'huile d'olive
vierge extra

roquette et pain frais,
en accompagnement

méthode

1 Mettre les ingrédients de la marinade dans
un bol et bien battre le tout. Mettre le thon
dans une terrine, arroser de 4 cuillerées à
soupe de marinade et couvrir. Laisser mariner
30 minutes et réserver la marinade restante.

2 Chauffer une poêle à fond rainuré. Mélanger
le fenouil, les oignons et l'huile, ajouter dans
la poêle et cuire 10 minutes en retournant
une fois, jusqu'à ce qu'ils changent de
couleur. Transférer dans 4 assiettes chaudes,
arroser avec la marinade restante et réserver
au chaud.

3 Mettre le thon dans la poêle et cuire 4 à
5 minutes en retournant une fois, jusqu'à ce
qu'il soit ferme au toucher et tendre à l'intérieur.
Transférer sur les légumes et servir accompagné
de roquette et de pain frais.

salade niçoise

ingrédients

POUR 4 À 6 PERSONNES EN ENTRÉE

2 steaks de thon de 2 cm
    d'épaisseur

huile d'olive

sel et poivre

250 g de haricots verts, parés

vinaigrette à l'ail prête à l'emploi,
    selon son goût

2 cœurs de laitue, feuilles
    séparées

3 gros œufs durs, coupés
    en quartiers

2 tomates bien mûres,
    coupées en quartiers

50 g de filets d'anchois
    à l'huile, égouttés

55 g d'olives noires

feuilles de basilic frais
    ciselées, en garniture

méthode

1 Chauffer une poêle à fond rainuré jusqu'à ce que la chaleur se sente en passant la main au-dessus. Huiler une face des steaks de thon, mettre dans la poêle, côté huilé vers le bas, et cuire 2 minutes.

2 Huiler l'autre face des steaks, retourner, saler et poivrer. Cuire 2 minutes, jusqu'à ce qu'il soit saisi, ou 4 minutes, jusqu'à ce qu'il soit bien tendre. Laisser refroidir.

3 Porter à ébullition une casserole d'eau salée, ajouter les haricots et cuire 3 minutes, jusqu'à ce qu'ils soient *al dente*. Égoutter, transférer dans une terrine et ajouter la vinaigrette à l'ail. Bien mélanger et laisser les haricots refroidir dans la vinaigrette.

4 Chemiser un saladier de feuilles de laitue. Retirer les haricots de la vinaigrette, répartir sur les feuilles de laitue et garnir de thon émietté.

5 Ajouter les œufs durs et les tomates, garnir de filets d'anchois et parsemer d'olives et de basilic. Arroser de vinaigrette et servir.

brochettes de thon aux légumes

ingrédients

POUR 4 PERSONNES

4 steaks de thon de 175 g
    chacun

2 oignons rouges

12 tomates cerises

1 poivron rouge, épépiné
    et coupé en dés de
    2,5 cm

1 poivron jaune, épépiné
    et coupé en dés de
    2,5 cm

1 courgette, coupée
    en grosses rondelles

1 cuil. à soupe d'origan frais
    haché

4 cuil. à soupe d'huile d'olive

poivre

quartiers de citron vert,
    en garniture

méthode

1 Chauffer un gril en fonte à feu vif. Couper le thon en cubes de 2,5 cm. Peler les oignons et couper en 6 quartiers.

2 Piquer les cubes de poisson en alternant avec les légumes sur 8 brochettes en bois préalablement trempées dans de l'eau froide. Disposer sur le gril chaud.

3 Mélanger l'origan et l'huile, poivrer et enduire les brochettes du mélange obtenu. Cuire 10 à 15 minutes à feu vif en retournant de temps en temps, jusqu'à ce que les brochettes soient uniformément cuites. Ces brochettes peuvent également être cuites au barbecue.

4 Servir immédiatement, garni de quartiers de citron.

sardines fraîches au citron & à l'origan

ingrédients

POUR 4 PERSONNES

2 citrons, plus quelques
quartiers pour garnir

12 sardines fraîches, parées

4 cuil. à soupe d'huile d'olive

4 cuil. à soupe d'origan frais
haché

sel et poivre

méthode

1 Couper en rondelles le premier citron et râper le zeste et presser le jus du second citron.

2 Retirer les têtes des sardines, mettre en une seule couche dans un plat allant au four et répartir les rondelles de citron dans les sardines. Arroser de jus de citron et d'huile, parsemer de zeste de citron et d'origan, saler et poivrer.

3 Cuire au four préchauffé 20 à 30 minutes à 190 °C (th. 6-7), jusqu'à ce que les sardines soient tendres. Servir garni de quartiers de citron.

sardines du maghreb

ingrédients

POUR 4 PERSONNES

500 g de sardines fraîches,
    évidées et écaillées
moitiés de citron grillées,
    en garniture

marinade

6 cuil. à soupe d'huile d'olive
3 cuil. à soupe de jus
    de citron
3 cuil. à soupe de coriandre
    fraîche hachée
2 cuil. à café de zeste
    de citron râpé
$1/2$ cuil. à café de cumin
    en poudre
$1/4$ de cuil. à café de paprika
sel et poivre

méthode

1 Mettre les sardines dans un plat profond.
Mélanger l'huile, le jus de citron, la coriandre,
le zeste de citron, le cumin et le paprika, saler
et poivrer. Enrober les sardines du mélange
obtenu, couvrir et laisser mariner 1 heure
dans un endroit frais.

2 Égoutter les sardines en réservant la marinade
et placer dans une grille à charnière.

3 Cuire au barbecue 3 minutes de chaque
côté en arrosant régulièrement de marinade,
jusqu'à ce que les sardines soient grillées.
Servir immédiatement, garni de moitiés de
citron grillées.

crevettes marinées au citron & leur pesto à la menthe

ingrédients

POUR 4 PERSONNES

750 g de grosses crevettes
    crues

jus de 2 citrons

1 botte de menthe fraîche,
    hachée

2 gousses d'ail, très finement
    hachées

pesto à la menthe

1 gousse d'ail, grossièrement
    concassée

8 cuil. à soupe de menthe
    fraîche hachée

3 cuil. à soupe d'huile d'olive
    vierge extra

1 cuil. à soupe de vinaigre
    de vin rouge

1 cuil. à soupe de crème
    fraîche épaisse

1 cuil. à soupe de parmesan
    fraîchement râpé

sel et poivre

méthode

1 Décortiquer et déveiner les crevettes, mettre dans une terrine et arroser de jus de citron. Ajouter la menthe et l'ail, bien mélanger et couvrir. Laisser mariner 30 minutes.

2 Pour le pesto, mettre tous les ingrédients dans un robot de cuisine et mixer jusqu'à obtention d'une consistance homogène. Racler les parois, couvrir et réserver au réfrigérateur.

3 Égoutter les crevettes et piquer sur des brochettes en bois préalablement trempées dans de l'eau froide. Cuire au barbecue 2 à 3 minutes de chaque côté, jusqu'à ce qu'elles soient roses et bien cuites.

4 Retirer les crevettes des brochettes, transférer dans des assiettes et servir garni d'une cuillerée de pesto à la menthe.

pilaf de crevettes

ingrédients

POUR 4 PERSONNES

3 cuil. à soupe d'huile d'olive

1 oignon, finement haché

1 poivron rouge, épépiné
et émincé

1 gousse d'ail, hachée

225 g de riz long-grain

750 ml de fumet de poisson
ou de bouillon de poule
ou de légumes

1 feuille de laurier

sel et poivre

400 g de crevettes, cuites
et décortiquées

crevettes cuites entières,
quartiers de citron
et olives noires,
en garniture

fromage de type romano,
râpé, et cubes de féta,
en accompagnement

méthode

1 Dans une poêle, chauffer l'huile, ajouter l'oignon, le poivron et l'ail, et faire revenir 5 minutes, jusqu'à ce qu'ils soient tendres. Ajouter le riz et cuire 2 à 3 minutes sans cesser de remuer, jusqu'à ce que les grains de riz soient translucides.

2 Mouiller avec le bouillon, ajouter le laurier, saler et poivrer. Porter à ébullition, couvrir hermétiquement et laisser mijoter environ 15 minutes, jusqu'à ce que le riz soit tendre et que tout le liquide soit absorbé. Ne pas remuer en cours de cuisson. Incorporer délicatement les crevettes dans la poêle.

3 Retirer le couvercle, couvrir avec un torchon humide et remettre le couvercle. Laisser reposer 10 minutes au chaud. Mélanger à l'aide d'une fourchette de façon à séparer les grains.

4 Servir garni de crevettes entières, de quartiers de citron et d'olives noires. Parsemer de romano râpé et de cubes de féta.

paëlla de fruits de mer au citron

ingrédients

POUR 4 À 6 PERSONNES

$1/2$ cuil. à café de filaments
de safran

2 cuil. à soupe d'eau chaude

150 g de filets de cabillaud,
sans la peau et rincés
à l'eau courante

1,3 l de fumet de poisson

12 grosses crevettes,
décortiquées et déveinées

450 g de calmars, parés
et coupés en anneaux
ou en cubes, ou 450 g
de noix de Saint-Jacques,
coupées en dés

3 cuil. à soupe d'huile d'olive

1 gros oignon rouge, haché

2 gousses d'ail, hachées

1 petit piment rouge frais,
épépiné et émincé

225 g de tomates, mondées
et coupées en quartiers

375 g de riz pour paëlla

1 cuil. à soupe de persil frais
haché

2 cuil. à café d'aneth frais
haché

sel et poivre

1 citron coupé en deux,
en garniture

méthode

1 Dans un bol, mettre le safran et l'eau, et laisser infuser quelques minutes. Dans une casserole, porter le fumet à ébullition, ajouter le poisson et cuire 5 minutes. Rincer à l'eau courante et égoutter. Ajouter le calmar et les crevettes dans la casserole, cuire 2 minutes et égoutter. Mettre le poisson et les fruits de mer dans une terrine. Laisser mijoter le fumet.

2 Dans un plat à paëlla, chauffer l'huile, ajouter l'oignon et faire revenir à feu moyen, jusqu'à ce qu'il soit tendre. Ajouter l'ail, le piment et le safran avec son liquide de trempage, et cuire 1 minute sans cesser de remuer. Ajouter les tomates et cuire 2 minutes sans cesser de remuer. Ajouter le riz et les fines herbes et cuire 1 minute sans cesser de remuer. Mouiller avec 1 litre de bouillon, porter à ébullition et laisser mijoter 10 minutes sans couvrir. Ne pas remuer pendant la cuisson mais secouer le plat une ou deux fois en ajoutant les ingrédients. Saler et poivrer, et cuire encore 10 minutes, jusqu'à ce que le riz soit presque cuit. Mouiller avec du bouillon supplémentaire si nécessaire, ajouter les fruits de mer et cuire encore 2 minutes.

3 Retirer du feu dès que le liquide est absorbé et qu'une délicate odeur de grillé se dégage. Couvrir de papier d'aluminium, laisser reposer 5 minutes et servir accompagné de citron.

paëlla aux moules & au vin blanc

ingrédients

POUR 4 À 6 PERSONNES

150 g de filets de cabillaud,
 sans la peau et rincés

1,3 l de fumet de poisson

200 g de moules, grattées
 et ébarbées

3 cuil. à soupe d'huile d'olive

1 gros oignon rouge, émincé

2 gousses d'ail, hachées

$1/2$ cuil. à café de poivre
 de Cayenne

$1/2$ cuil. à café de filaments
 de safran infusés dans
 2 cuillerées à soupe d'eau
 chaude

225 g de tomates, mondées
 et coupées en quartiers

1 poivron rouge et 1 poivron
 vert, épépinés et émincés

375 g de riz pour paëlla

100 ml de vin blanc sec

150 g de petits pois

1 cuil. à soupe d'aneth frais
 haché

sel et poivre

quartiers de citron,
 en garniture

méthode

1 Dans une casserole, porter le fumet à ébullition, ajouter le poisson et cuire 5 minutes. Rincer à l'eau courante, égoutter couper en morceaux. Mettre dans une terrine et réserver. Ajouter les moules dans la casserole et cuire 5 minutes, jusqu'à ce qu'elles soient ouvertes. Transférer dans la terrine en jetant celles qui sont restées fermées.

2 Dans un plat à paëlla, chauffer l'huile à feu moyen, ajouter l'oignon, l'ail, le poivre de Cayenne et le safran avec le liquide de trempage, et cuire 1 minute. Ajouter les tomates et les poivrons, et cuire 2 minutes.

3 Ajouter le riz et cuire 1 minute sans cesser de remuer. Mouiller avec le vin et 1 litre de bouillon, porter à ébullition et laisser mijoter 10 minutes. Ne pas remuer pendant la cuisson mais secouer le plat une ou deux fois en ajoutant les ingrédients. Saler et poivrer, ajouter l'aneth et les petits pois, et cuire encore 10 minutes, jusqu'à ce que le riz soit presque cuit. Mouiller avec du bouillon supplémentaire si nécessaire, ajouter les moules et le poisson, et cuire encore 3 minutes.

4 Retirer du feu dès que le liquide est absorbé et qu'une délicate odeur de grillé se dégage. Couvrir de papier d'aluminium, laisser reposer 5 minutes et servir accompagné de citron.

risotto de fruits de mer

ingrédients

POUR 4 PERSONNES

225 g de crevettes crues,
  décortiquées, têtes
  et queues réservées

2 gousses d'ail, coupées
  en deux

1 citron, coupé en rondelles

225 g de moules*, grattées
  et ébarbées

225 g de palourdes*, grattées

625 ml d'eau

115 g de beurre

1 cuil. à soupe d'huile d'olive

1 oignon, finement haché

2 cuil. à soupe de persil plat
  frais haché

350 g de riz arborio

125 ml de vin blanc sec

225 g de calmars, parés
  et coupés en anneaux
  ou en dés

4 cuil. à soupe de marsala

sel et poivre

* jeter les palourdes et
  les moules restées
  ouvertes après la cuisson

méthode

1 Envelopper les têtes et les queues de crevettes dans de l'étamine et piler. Dans une casserole, mettre l'étamine, l'ail, le citron, les moules et les palourdes, ajouter l'eau et couvrir. Porter à ébullition à feu vif et cuire 5 minutes, jusqu'à ce que les coquillages soient ouverts. Laisser tiédir, décoquiller et réserver. Filtrer le liquide de cuisson, ajouter de l'eau de façon à obtenir 1,25 l et reverser dans la casserole. Porter à ébullition et réserver à frémissement.

2 Dans une autre casserole, chauffer l'huile et 2 cuillerées à soupe de beurre, ajouter l'oignon et la moitié du persil, et cuire à feu moyen en remuant souvent, jusqu'à ce qu'ils soient tendres. Réduire le feu, incorporer le riz et cuire sans cesser de remuer jusqu'à ce que les grains soient translucides. Mouiller avec le vin et cuire 1 minute sans cesser de remuer. Mouiller avec une louche de bouillon frémissant et cuire sans cesser de remuer jusqu'à absorption complète. Répéter l'opération jusqu'à épuisement du bouillon de sorte que le riz soit crémeux.

3 Dans une poêle, faire fondre 55 g de beurre, ajouter le calmar et cuire 3 minutes en remuant souvent. Ajouter les crevettes et cuire 2 à 3 minutes, jusqu'à ce que le calmar soit opaque et les crevettes roses. Mouiller avec le marsala, porter à ébullition et cuire jusqu'à évaporation. Incorporer tous les fruits de mer, le beurre et le persil restants au risotto. Saler, poivrer, réchauffer le tout et servir immédiatement.

pâtes estivales

ingrédients

POUR 4 PERSONNES

2 cuil. à soupe de jus
de citron

4 petits artichauts

7 cuil. à soupe d'huile d'olive

2 échalotes, finement
hachées

2 gousses d'ail, finement
hachées

2 cuil. à soupe de persil plat
frais haché

2 cuil. à soupe de menthe
fraîche hachée

350 g de rigatonis
ou autres pâtes tubulaires

2 cuil. à soupe de beurre

12 grosses crevettes crues,
décortiquées, déveinées
et coupées en deux

sel et poivre

méthode

1 Remplir un bol d'eau froide et ajouter le jus de citron. Couper les tiges des artichauts, retirer les feuilles les plus dures et couper l'extrémité des feuilles restantes. Couper en deux dans la hauteur, retirer le foin et détailler en tranches de 5 mm d'épaisseur. Plonger dans le bol au fur et à mesure de sorte que les artichauts ne noircissent pas.

2 Dans une poêle, chauffer 5 cuillerées à soupe d'huile. Égoutter les artichauts sur du papier absorbant, mettre dans la poêle et ajouter les échalotes, l'ail, le persil et la menthe. Cuire 10 à 12 minutes à feu doux en remuant de temps en temps, jusqu'à ce que le tout soit tendre.

3 Porter une casserole d'eau salée à ébullition, ajouter les pâtes et cuire 8 à 10 minutes, jusqu'à ce qu'elles soient *al dente*.

4 Dans une autre poêle, faire fondre le beurre, ajouter les crevettes et cuire 2 à 3 minutes, jusqu'à ce qu'elles aient changé de couleur. Saler et poivrer.

5 Égoutter les pâtes, transférer dans un plat de service chaud, ajouter l'huile restante et bien mélanger. Incorporer la préparation à base d'artichaut et les crevettes, et servir immédiatement.

linguine aux anchois, aux olives & aux câpres

ingrédients

POUR 4 PERSONNES

450 g de tomates

3 cuil. à soupe d'huile d'olive

2 gousses d'ail, finement
  hachées

10 filets d'anchois, égouttés
  et hachés

140 g d'olives noires,
  dénoyautées et hachées

1 cuil. à soupe de câpres,
  rincées

1 pincée de poivre
  de Cayenne

400 g de linguine

sel

2 cuil. à soupe de persil plat
  frais haché, en garniture

pain frais,
  en accompagnement

méthode

1 Inciser les tomates en croix, mettre dans une terrine résistant à la chaleur et couvrir d'eau bouillante. Laisser reposer 35 à 45 secondes, égoutter et plonger dans de l'eau froide. Monder, épépiner et concasser.

2 Dans une casserole, chauffer l'huile d'olive, ajouter l'ail et cuire 2 minutes à feu doux en remuant souvent. Ajouter les anchois et réduire en purée à l'aide d'une fourchette. Ajouter les olives, les câpres, les tomates et le poivre de Cayenne, couvrir et laisser mijoter 25 minutes.

3 Porter une casserole d'eau salée à ébullition, ajouter les pâtes et cuire 8 à 10 minutes, jusqu'à ce qu'elles soient *al dente*. Égoutter et transférer dans un plat de service chaud.

4 Ajouter la sauce dans le plat, bien mélanger à l'aide de 2 fourchettes et garnir de persil. Servir immédiatement, accompagné de pain frais.

plats végétariens

Les légumes aux couleurs brillantes et les goûts contrastés de l'huile d'olive, de l'ail, des agrumes et des herbes jouent un rôle proéminent dans le régime méditerranéen, de sorte qu'il existe une profusion de plats susceptibles de plaire aux végétariens, même si les différents pays de cette région ne boudent pas la viande, en règle générale. Choisissez l'un des plats roboratifs que conseille ce livre, comme le tajine aux aubergines et à la polenta, la moussaka de légumes grillés, le gratin de courgettes au fromage, la paëlla aux artichauts, la tourte épinards-féta ou la tortilla espagnole. Accompagnez ces mets de magnifiques plats d'accompagnement : tomates séchées au four, fenouil rôti, citrouille au parmesan, pois chiches aux épinards ou salade aux poivrons grillés – pour obtenir un véritable festin végétarien.

De même, ces plats accompagnent divinement la viande ou le poisson. Ils peuvent être servis en guise de lunch estival *al fresco* ou à l'occasion d'un dîner entre amis. Gratin de légumes d'été grillés, courgettes farcies à la noix et à la féta, poivron grillés au provolone, couscous de légumes aux pignons, la salade grecque et le taboulé auront tous l'air appétissant s'ils sont servis dans des saladiers colorés, et disposés sur une grande table couverte d'une jolie nappe. La qualité des différents mets suscitera les commentaires de vos invités !

gratin d'aubergines

ingrédients

POUR 4 PERSONNES

4 cuil. à soupe d'huile d'olive

2 oignons, finement hachés

2 gousses d'ail, très finement
hachées

2 aubergines, coupées
en grosses rondelles

3 cuil. à soupe de persil plat
frais haché

$1/2$ cuil. à café de thym séché

sel et poivre

400 g de tomates concassées
en boîte

175 g de mozzarella,
grossièrement râpée

6 cuil. à soupe de parmesan
fraîchement râpé

méthode

1 Dans une poêle, chauffer l'huile à feu moyen,
ajouter les oignons et cuire 5 minutes, jusqu'à
ce qu'ils soient tendres. Ajouter l'ail et cuire
encore quelques secondes, jusqu'à ce qu'il
change de couleur. À l'aide d'une écumoire,
transférer sur une assiette. Cuire les rondelles
d'aubergines dans la même poêle jusqu'à ce
qu'elles soient légèrement dorées.

2 Répartir une couche de rondelles d'aubergines
dans un plat à gratin, parsemer d'un peu de
persil et de thym, saler et poivrer. Ajouter une
couche d'oignon, de tomates et de mozzarella
en parsemant chaque couche d'un peu
de persil et de thym, et en salant et poivrant.

3 Répéter l'opération jusqu'à épuisement
des ingrédients en terminant par une couche
de rondelles d'aubergines. Saupoudrer
de parmesan et cuire au four préchauffé
20 à 30 minutes à 200 °C (th. 6-7), jusqu'à
ce que le gratin soit tendre et doré. Servir
très chaud.

tajine d'aubergine à la polenta

ingrédients

POUR 4 PERSONNES

1 aubergine, coupée en dés de 1 cm

3 cuil. à soupe d'huile d'olive

1 gros oignon, émincé

1 carotte, coupée en dés

2 gousses d'ail, hachées

115 g de champignons, hachés

2 cuil. à café de coriandre en poudre

2 cuil. à café de graines de cumin

1 cuil. à café de poudre de piment

1 cuil. à café de curcuma en poudre

600 ml de tomates concassées en boîte

300 ml de bouillon de légumes

1 cuil. à soupe de concentré de tomate

75 g d'abricots secs, hachés

400 g de pois chiches en boîte, égouttés

2 cuil. à soupe de coriandre fraîche, en garniture

polenta

1,25 l de bouillon de légumes

200 g de polenta instantanée

méthode

1 Enrober les dés d'aubergine avec 1 cuillerée à soupe d'huile d'olive et passer au gril 20 minutes en remuant de temps en temps, jusqu'à ce qu'ils soient tendres et commencent à noircir sur les bords – arroser d'huile supplémentaire s'ils se dessèchent.

2 Dans une poêle, chauffer l'huile restante à feu moyen, ajouter l'oignon et cuire 8 minutes en remuant de temps en temps, jusqu'à ce qu'il soit tendre et doré. Ajouter la carotte, l'ail et les champignons, et cuire 5 minutes. Ajouter les épices et cuire encore 1 minute sans cesser de remuer.

3 Ajouter les tomates, le bouillon et le concentré de tomate, porter à ébullition et réduire le feu. Laisser mijoter 10 minutes, jusqu'à ce que la sauce épaississe et réduise. Ajouter les dés d'aubergines, les abricots et les pois chiches, couvrir partiellement et cuire encore 10 minutes en remuant de temps en temps.

4 Pour la polenta, verser le bouillon dans une casserole, porter à ébullition et ajouter la polenta progressivement sans cesser de remuer à l'aide d'une cuillère en bois. Réduire le feu et cuire 1 à 2 minutes, jusqu'à ce que la polenta épaississe. Servir le tajine accompagné de polenta et garni de coriandre fraîche.

moussaka de légumes grillés

ingrédients

POUR 4 À 6 PERSONNES

1 grosse aubergine, coupée
en grosses rondelles

2 courgettes de taille
moyenne, coupées
en grosses rondelles

2 oignons, coupés en petits
quartiers

2 poivrons rouges, épépinés
et émincés

2 gousses d'ail, grossièrement
hachées

5 cuil. à soupe d'huile d'olive

1 cuil. à soupe de thym frais
haché

sel et poivre

2 œufs, battus

300 ml de yaourt

400 g de tomates concassées
en boîte

55 g de féta

méthode

1 Dans un plat allant au four, mettre l'aubergine, les courgettes, les oignons, les poivrons et l'ail, arroser d'huile et mélanger. Parsemer de thym, saler et poivrer. Cuire au four préchauffé 30 à 35 minutes à 220 °C (th. 7-8) en remuant à mi-cuisson, jusqu'à ce que les légumes soient tendres et dorés.

2 Incorporer les œufs et le yaourt, saler, poivrer et bien battre. Réduire la température du four à 180 °C (th. 6).

3 Répartir la moitié des légumes dans un plat à gratin, ajouter les tomates avec leur jus et couvrir avec les légumes restants. Napper de mélange à base de yaourt, émietter la féta sur le tout et cuire au four préchauffé 45 minutes à 1 heure, jusqu'à ce que la moussaka soit dorée. Servir chaud, tiède ou froid.

gratin de légumes grillés estival

ingrédients

POUR 4 PERSONNES

2 cuil. à soupe d'huile d'olive

1 bulbe de fenouil

2 oignons rouges

2 tomates cœur de bœuf

1 aubergine

2 courgettes

1 poivron jaune

1 poivron rouge

1 poivron orange

4 gousses d'ail, pelées
    mais laissées entières

4 brins de romarin frais

poivre

pain frais, en
    accompagnement
    (facultatif)

méthode

1 Enduire un plat à gratin d'un peu d'huile. Couper le bulbe de fenouil, les oignons rouges et les tomates en quartiers. Couper l'aubergine et les courgettes en rondelles épaisses. Épépiner les poivrons et couper en gros morceaux. Répartir le tout dans le plat, insérer les brins de romarin et les gousses d'ail entre les morceaux, arroser d'huile et poivrer.

2 Cuire au four préchauffé 10 minutes à 200 °C (th. 6-7), bien mélanger à l'aide d'une écumoire et cuire encore 10 à 15 minutes, jusqu'à ce que les légumes soient tendres et commencent à dorer.

3 Servir directement dans le plat, accompagné de pain frais.

ratatouille rustique

ingrédients

POUR 4 PERSONNES

300 g de pommes de terre
avec la peau, grattées

200 g d'aubergines, coupées
en dés de 1 cm

125 g d'oignons rouges,
coupés en anneaux
de 5 mm d'épaisseur

200 g de poivrons, épépinés
et coupés en lanières
de 1 cm d'épaisseur

175 g de courgettes, coupées
en deux dans la longueur
puis en morceaux de 1 cm

125 g de tomates cerises

90 g de fromage frais

1 cuil. à café de miel liquide

1 pincée de paprika

1 cuil. à café de persil frais
haché, en garniture

marinade

1 cuil. à café d'huile

1 cuil. à soupe de jus de citron

4 cuil. à soupe de vin blanc

1 cuil. à café de sucre

2 cuil. à soupe de basilic frais
haché

1 cuil. à café de romarin frais
haché

1 cuil. à soupe de thym citron
frais haché

$1/4$ de cuil. à café de paprika

méthode

1 Cuire les pommes de terre au four préchauffé 30 minutes à 200 °C (th. 6-7), retirer du four et couper en quartiers – la chair ne doit pas être totalement cuite.

2 Pour la marinade, mettre tous les ingrédients dans un bol, battre à l'aide d'un batteur électrique ou dans un robot de cuisine jusqu'à obtention d'une consistance homogène.

3 Dans une grande terrine, mettre les pommes de terre, les aubergines, les oignons, les poivrons et les courgettes, arroser de marinade et bien mélanger le tout.

4 Répartir les légumes sur une plaque et cuire au four préchauffé 25 à 30 minutes, jusqu'à ce qu'ils soient dorés et tendres. Ajouter les tomates 5 minutes avant la fin de la cuisson de façon à les réchauffer.

5 Mélanger le fromage frais, le miel et le paprika.

6 Servir les légumes accompagnés du mélange à base de fromage frais et garnis de persil.

courgettes farcies aux noix & à la féta

ingrédients

POUR 4 PERSONNES

4 grosses courgettes

3 cuil. à soupe d'huile d'olive

1 oignon, finement haché

1 gousse d'ail, hachée

55 g de féta, émiettée

25 g de noix, concassées

55 g de chapelure blanc

1 œuf, battu

1 cuil. à café d'aneth frais haché

sel et poivre

méthode

1 Porter à ébullition une casserole d'eau salée, ajouter les courgettes et cuire 3 minutes. Rafraîchir à l'eau courante, égoutter et laisser refroidir.

2 Prélever une lanière sur toute la longueur de chaque courgette à l'aide d'un couteau tranchant, évider délicatement à l'aide d'une petite cuillère et hacher la chair prélevée.

3 Dans une casserole, chauffer 2 cuillerées à soupe d'huile d'olive, ajouter l'oignon et l'ail, et faire revenir 5 minutes, jusqu'à ce qu'ils soient tendres. Ajouter la chair de courgette et cuire encore 5 minutes, jusqu'à ce que l'oignon soit doré. Retirer du feu et laisser tiédir. Incorporer la féta, les noix, la chapelure, l'œuf et l'aneth, saler et poivrer.

4 Farcir les courgettes de la préparation précédente, disposer côte à côte dans un plat allant au four et arroser de l'huile restante.

5 Couvrir de papier d'aluminium et cuire au four préchauffé 30 minutes à 190 °C (th. 6-7). Retirer le papier d'aluminium et cuire encore 10 à 15 minutes, jusqu'à ce que la farce soit dorée. Servir chaud.

gratin de courgettes au fromage

ingrédients

POUR 4 À 6 PERSONNES

55 g de beurre, un peu plus
  pour graisser

6 courgettes, coupées
  en rondelles

sel et poivre

2 cuil. à soupe d'estragon
  frais haché ou de mélange
  d'estragon, de menthe
  et de persil plat

200 g de gruyère
  ou de parmesan, râpé

125 ml de lait

125 ml de crème fraîche
  épaisse

2 œufs

noix muscade fraîchement
  râpée

méthode

1 Dans une poêle, faire fondre le beurre à feu moyen à vif, ajouter les courgettes et faire revenir 4 à 6 minutes en remuant de temps en temps, jusqu'à ce qu'elles soient légèrement dorées. Retirer de la poêle, égoutter sur du papier absorbant, saler et poivrer.

2 Répartir la moitié des courgettes dans un plat de service allant au four, parsemer de la moitié des herbes et de 55 g de fromage, et répéter l'opération une fois.

3 Mélanger le lait, la crème fraîche et les œufs, ajouter la noix muscade, saler et poivrer. Napper les courgettes et parsemer du fromage restant.

4 Cuire le gratin au four préchauffé 35 à 40 minutes à 180 °C (th. 6), jusqu'à ce qu'il ait pris au centre et soit légèrement doré. Sortir du four, laisser reposer 5 minutes et servir directement dans le plat.

paëlla aux légumes

ingrédients

POUR 4 À 6 PERSONNES

$^1/_2$ cuil. à café de filaments
  de safran

2 cuil. à soupe d'eau chaude

3 cuil. à soupe d'huile d'olive

1 gros oignon, haché

2 gousses d'ail, hachées

1 cuil. à café de paprika

225 g de tomates, mondées
  et coupées en quartiers

1 poivron rouge et 1 poivron
  vert, mondés, épépinés
  et coupés en lanières

425 g de pois chiches
  en boîte, égouttés

350 g de riz pour paëlla

1,3 l de bouillon de légumes

55 g de petits pois

150 g de pointes d'asperges,
  blanchies

1 cuil. à soupe de persil plat
  frais haché, un peu plus
  pour garnir

sel et poivre

1 citron coupé en quartiers,
  en garniture

méthode

1 Laisser infuser le safran dans l'eau chaude quelques minutes.

2 Dans un plat à paëlla, chauffer l'huile, ajouter l'oignon et cuire 2 à 3 minutes à feu moyen sans cesser de remuer, jusqu'à ce qu'il soit tendre. Ajouter l'ail, le paprika et le safran avec son liquide de trempage, et cuire 1 minute sans cesser de remuer. Ajouter les tomates, les pois chiches et les poivrons, et cuire 2 minutes.

3 Ajouter le riz et cuire 1 minute sans cesser de remuer, jusqu'à ce qu'il soit translucide. Mouiller avec 1 litre de bouillon, porter à ébullition et réduire le feu. Laisser mijoter 10 minutes sans couvrir. Ne pas remuer pendant la cuisson mais secouer le plat une ou deux fois en ajoutant les ingrédients. Saler et poivrer, ajouter les petits pois, les asperges et le persil, et cuire encore 10 à 15 minutes, jusqu'à ce que le riz soit presque cuit. Mouiller avec du bouillon supplémentaire si nécessaire.

4 Retirer du feu dès que le liquide est absorbé et qu'une délicate odeur de grillé se dégage. Couvrir de papier d'aluminium, laisser reposer 5 minutes et servir accompagné de citron et garni de persil.

paëlla aux artichauts

ingrédients

POUR 4 À 6 PERSONNES

$^1/_2$ cuil. à café de filaments
de safran

2 cuil. à soupe d'eau chaude

3 cuil. à soupe d'huile d'olive

1 gros oignon, haché

1 courgette, grossièrement
hachée

2 gousses d'ail, hachées

$^1/_4$ de cuil. à café de poivre
de Cayenne

225 g de tomates, mondées
et coupées en quartiers

425 g de pois chiches
en boîte, égouttés

425 g de cœurs d'artichauts
en boîte, égouttés et
grossièrement hachés

350 g de riz pour paëlla

1,3 l de bouillon de légumes

150 g de haricots verts,
blanchis

sel et poivre

1 citron coupé en quartiers,
en garniture

méthode

1 Laisser infuser le safran dans l'eau chaude
quelques minutes.

2 Dans un plat à paëlla, chauffer l'huile, ajouter
l'oignon et la courgette, et cuire à feu moyen
2 à 3 minutes sans cesser de remuer, jusqu'à
ce qu'ils soient tendres. Ajouter l'ail, le poivre
de Cayenne, le safran et son liquide de trempage,
et cuire 1 minute sans cesser de remuer. Ajouter
les tomates, les pois chiches et les cœurs
d'artichauts, et cuire encore 2 minutes sans
cesser de remuer.

3 Ajouter le riz et cuire 1 minute sans cesser
de remuer, jusqu'à ce qu'il soit translucide.
Mouiller avec 1 litre de bouillon, porter à
ébullition et laisser mijoter 10 minutes sans
couvrir. Ne pas remuer pendant la cuisson mais
secouer le plat une ou deux fois en ajoutant les
ingrédients. Saler et poivrer, ajouter les haricots
verts, et cuire encore 10 à 15 minutes, jusqu'à
ce que le riz soit presque cuit. Mouiller avec
du bouillon supplémentaire si nécessaire.

4 Retirer du feu dès que le liquide est absorbé
et qu'une délicate odeur de grillé se dégage.
Couvrir de papier d'aluminium, laisser reposer
5 minutes et servir accompagné de citron
et garni de persil.

brochettes de légumes au provolone

ingrédients

POUR 4 PERSONNES

brochettes

225 g de provolone

12 champignons de Paris

8 oignons grelots

12 tomates cerises

2 courgettes, coupées
    en cubes

1 poivron rouge, épépiné
    et coupé en gros
    morceaux

coriandre fraîche hachée,
    en garniture

riz cuit ou mesclun et pain
    frais, en accompagnement

marinade

4 cuil. à soupe d'huile d'olive
    vierge extra

2 cuil. à soupe de vinaigre
    balsamique

2 gousses d'ail, finement
    hachées

1 cuil. à soupe de coriandre
    fraîche hachée

sel et poivre

méthode

1 En cas d'utilisation de brochettes en bois, tremper 30 minutes dans de l'eau froide.

2 Dans un bol, mettre l'huile, le vinaigre, l'ail et la coriandre, saler, poivrer et bien mélanger le tout.

3 Couper le fromage en morceaux de la taille d'une bouchée et piquer sur des brochettes en alternant avec les champignons de Paris, les oignons grelots, les tomates cerises, les cubes de courgettes et les morceaux de poivron. Veiller à laisser un petit espace entre chaque ingrédient piqué sur la brochette. Mettre dans une terrine, arroser de marinade et bien mélanger. Couvrir de film alimentaire, mettre au réfrigérateur et laisser reposer 2 heures.

4 Cuire les brochettes au barbecue 5 à 10 minutes au-dessus de braises très chaudes en arrosant souvent de marinade. Répartir les brochettes sur un lit de riz ou de mesclun, garnir de coriandre et servir accompagné de pain frais.

poivrons grillés au provolone

ingrédients

POUR 6 PERSONNES

6 petits poivrons rouges

2 cuil. à soupe d'huile d'olive,
un peu plus pour graisser

3 gousses d'ail, finement
émincées

250 g de provolone
ou de féta, coupés
en fines lamelles

12 feuilles de menthe fraîche

zeste râpé et jus de 1 citron

1 cuil. à soupe de thym frais
haché

3 cuil. à soupe de pignons

poivre

méthode

1 Couper les poivrons en deux dans la hauteur, retirer les membranes et épépiner. Enduire la peau d'un peu d'huile d'olive et répartir sur une plaque, côté peau vers le bas.

2 Répartir la moitié de l'ail dans les poivrons, ajouter le fromage, les feuilles de menthe, le zeste de citron, l'ail restant, le thym, et les pignons, et poivrer. Arroser de l'huile d'olive restante et de jus de citron.

3 Cuire au four préchauffé 30 minutes à 200 °C (th. 6-7), jusqu'à ce que les poivrons soient tendres et que les bords commencent à noircir. Servir chaud.

poivrons farcis à la paëlla

ingrédients

POUR 4 PERSONNES

1/2 cuil. à café de filaments
   de safran

2 cuil. à soupe d'eau chaude

3 cuil. à soupe d'huile d'olive

1 courgette, coupée en dés

150 g de champignons de Paris

2 oignons verts, coupés en dés

2 gousses d'ail, hachées

1 cuil. à café de paprika

1/4 de cuil. à café de poivre
   de Cayenne

250 g de haricots rouges
   en boîte (poids égoutté)

225 g de tomates, mondées
   et concassées

375 g de riz pour paëlla

1,2 l de bouillon de légumes

125 g de petits pois

1 cuil. à soupe de persil plat
   frais haché, un peu plus
   pour garnir

sel et poivre

4 gros poivrons rouges,
   sommets retirés
   et réservés, épépinés

100 g de manchego
   ou de parmesan, râpé

méthode

1 Laisser infuser le safran dans l'eau chaude. Dans un plat à paëlla, chauffer l'huile à feu moyen, ajouter la courgette et cuire 3 minutes sans cesser de remuer. Ajouter les champignons et les oignons verts, et cuire jusqu'à ce qu'ils soient tendres. Ajouter l'ail, le paprika, le poivre de Cayenne, le safran et le liquide de trempage, et cuire 1 minute sans cesser de remuer. Ajouter les haricots rouges et les tomates, et cuire encore 2 minutes sans cesser de remuer.

2 Ajouter le riz et cuire 1 minute sans cesser de remuer, jusqu'à ce qu'il soit translucide. Mouiller avec 1 litre de bouillon, porter à ébullition et laisser mijoter 10 minutes sans couvrir. Ne pas remuer pendant la cuisson mais secouer le plat une ou deux fois en ajoutant les ingrédients. Saler et poivrer, ajouter les petits pois et le persil, et cuire encore 10 à 15 minutes, jusqu'à ce que le riz soit presque cuit. Mouiller avec du bouillon supplémentaire si nécessaire. Retirer du feu, couvrir de papier d'aluminium et laisser reposer 5 minutes.

3 Blanchir les poivrons 2 minutes à l'eau bouillante, égoutter et sécher avec du papier absorbant. Farcir de paëlla, garnir de fromage et fermer. Envelopper de papier d'aluminium, mettre dans un plat allant au four et cuire au four 25 à 30 minutes à 180 °C (th. 6).

tomates séchées au four

ingrédients

POUR 4 PERSONNES

1 kg de grosses tomates bien
	mûres

gros sel

500 g de mozzarella, coupée
	en lamelles

huile d'olive vierge extra

poivre

feuilles de basilic,
	en garniture

méthode

1 À l'aide d'un couteau tranchant, couper les tomates en quatre dans la hauteur. Retirer les pépins à l'aide d'une petite cuillère.

2 Saupoudrer de gros sel un plat allant au four et répartir les tomates sur le sel, côté peau vers le bas. Cuire au four préchauffé 2 h 30 à 120 °C (th. 4), jusqu'à ce que les bords commencent à noircir et que la chair soit sèche mais toujours souple. Le temps de cuisson exact dépend des tomates. Vérifier la cuisson toutes les 30 minutes, après 1 h 30 de cuisson.

3 Retirer les tomates du plat, poivrer et laisser refroidir complètement. Servir accompagné de mozzarella, arrosé d'huile d'olive vierge extra et parsemé de basilic.

couscous de légumes aux pignons

ingrédients

POUR 4 PERSONNES

115 g de lentilles vertes

55 g de pignons

1 cuil. à soupe d'huile d'olive

1 oignon, coupé en dés

2 gousses d'ail, hachées

280 g de courgettes, coupées
en rondelles

250 g de tomates, concassées

400 g de cœurs d'artichauts
en boîte, égouttés
et coupés en deux dans
la hauteur

250 g de semoule
de couscous

500 ml de bouillon
de légumes

3 cuil. à soupe de basilic frais
ciselé, pour garnir

poivre

méthode

1 Dans une casserole, mettre les lentilles, couvrir d'eau et porter à ébullition. Laisser bouillir 10 minutes, réduire le feu et couvrir. Laisser mijoter 15 minutes, jusqu'à ce qu'elles soient tendres.

2 Répartir les pignons sur une plaque et passer au gril préchauffé en remuant souvent jusqu'à ce qu'ils soient uniformément dorés. Transférer dans une terrine et réserver.

3 Dans une poêle, chauffer l'huile à feu moyen, ajouter l'oignon, l'ail et les courgettes, et cuire 8 à 10 minutes à feu moyen en remuant souvent, jusqu'à ce que le tout soit tendre et que les courgettes soient légèrement dorées. Ajouter les tomates et les cœurs d'artichauts, et réchauffer le tout 5 minutes.

4 Mettre la semoule dans une terrine résistant à la chaleur. Porter le bouillon à ébullition, ajouter à la semoule et couvrir. Laisser reposer 10 minutes, jusqu'à ce que la semoule soit tendre et que tout le bouillon ait été absorbé.

5 Égoutter les lentilles, incorporer la semoule et le basilic, saler et poivrer. Transférer dans un plat de service chaud et ajouter les légumes. Parsemer de pignons, garnir de basilic et servir immédiatement.

citrouille au parmesan

ingrédients

POUR 6 PERSONNES

2 cuil. à soupe d'huile d'olive

1 oignon, finement haché

1 gousse d'ail, finement
haché

425 ml de coulis de tomate

10 feuilles de basilic fraîches,
ciselées

2 cuil. à soupe de persil plat
frais haché

1 cuil. à café de sucre

sel et poivre

2 œufs, légèrement battus

55 g de chapelure blanche

1,6 kg de citrouille, pelée,
épépinée et coupée
en lamelles

55 g de beurre, un peu plus
pour graisser

55 g de parmesan,
fraîchement râpé

méthode

1 Dans une casserole, chauffer l'huile, ajouter l'oignon et l'ail, et cuire 5 minutes à feu doux, jusqu'à ce qu'ils soient tendres. Incorporer le coulis de tomate, le basilic, le persil et le sucre, saler et poivrer. Laisser mijoter 10 à 15 minutes, jusqu'à ce que la préparation épaississe.

2 Plonger les lamelles de citrouille dans les œufs battu et passer dans la chapelure en secouant de façon à retirer l'excédent.

3 Graisser un plat allant au four. Dans une poêle, faire fondre le beurre, ajouter les lamelles de citrouille et cuire jusqu'à ce qu'elles soient uniformément dorées. Transférer dans le plat, napper de sauce et saupoudrer de parmesan.

4 Cuire au four préchauffé 30 minutes à 180 °C (th. 6), jusqu'à ce que la citrouille soit grésillante et dorée. Servir immédiatement.

fenouil rôti

ingrédients

POUR 4 À 6 PERSONNES

3 gros bulbes de fenouil

4 cuil. à soupe d'huile d'olive

zeste finement râpé et jus
de 1 citron

1 gousse d'ail, finement
hachée

55 g de chapelure blanche

sel et poivre

méthode

1 Parer les bulbes de fenouil en réservant les frondes et couper en quartiers. Porter à ébullition une casserole d'eau salée, ajouter les quartiers de fenouil et cuire 5 minutes, jusqu'à ce qu'ils soient juste tendres. Égoutter.

2 Dans une poêle, chauffer 2 cuillerées à soupe d'huile d'olive, ajouter le fenouil et bien remuer. Arroser de jus de citron et cuire au four préchauffé 35 minutes à 200 °C (th. 6-7), jusqu'à ce qu'il commence à dorer.

3 Dans une autre poêle, chauffer l'huile restante, ajouter l'ail et faire revenir 1 minute, jusqu'à ce qu'il soit légèrement doré. Ajouter la chapelure et faire revenir 5 minutes sans cesser de remuer, jusqu'à ce que la chapelure soit croustillante. Retirer du feu, incorporer le zeste de citron et les frondes de fenouil, saler et poivrer.

4 Parsemer le fenouil de préparation à base de chapelure, remettre au four et cuire encore 5 minutes. Servir très chaud.

pois chiches aux épinards

ingrédients

POUR 4 À 6 PERSONNES

2 cuil. à soupe d'huile d'olive

1 grosse gousse d'ail, coupée
en deux

1 oignon, finement haché

½ cuil. à café de cumin

1 pincée de poivre
de Cayenne

1 pincée de curcuma

800 g de pois chiches
en boîte, rincés
et égouttés

500 g de pousses d'épinard,
rincées et égouttées

2 poivrons en bocal, égouttés
et émincés

sel et poivre

méthode

1 Dans une poêle, chauffer l'huile à feu moyen
à vif, ajouter l'ail et cuire 2 minutes, jusqu'à
ce qu'il soit doré, sans laisser brunir. Retirer
de la poêle à l'aide d'une écumoire et jeter.

2 Ajouter l'oignon, le cumin, le poivre de
Cayenne et le curcuma, et cuire 5 minutes,
jusqu'à ce que l'oignon soit tendre. Ajouter
les pois chiches et remuer jusqu'à ce qu'ils
prennent la couleur du curcuma.

3 Incorporer les épinards, couvrir et cuire 4 à
5 minutes, jusqu'à ce qu'ils aient flétri. Retirer
le couvercle, ajouter les poivrons et cuire en
remuant délicatement, jusqu'à ce que le jus
de cuisson soit évaporé. Saler, poivrer et servir.

tourte épinards-féta

ingrédients

POUR 6 PERSONNES

2 cuil. à soupe d'huile d'olive

1 gros oignon, finement
    haché

1 kg de pousses d'épinard
    fraîches, rincées,
    ou 500 g d'épinards
    surgelés, décongelés

4 cuil. à soupe de persil plat
    frais haché

2 cuil. à soupe d'aneth frais
    haché

3 œufs, battus

200 g de féta

sel et poivre

100 g de beurre

225 g de pâte filo (procéder
    en utilisant une feuille
    à la fois et en réservant
    les feuilles restantes sous
    un torchon humide)

méthode

1 Pour la garniture, chauffer l'huile dans une casserole, ajouter l'oignon et faire revenir jusqu'à ce qu'il soit tendre. Ajouter les épinards et cuire 2 à 5 minutes, jusqu'à ce qu'ils aient flétri. Retirer du feu et laisser refroidir.

2 Ajouter le persil, l'aneth et les œufs, incorporer la féta, saler et poivrer.

3 Faire fondre le beurre. Graisser un plat métallique de 30 x 20 cm. Couper les feuilles de pâte filo en deux dans la longueur, chemiser la base du plat avec une feuille et enduire de beurre. Répéter l'opération avec la moitié des feuilles restantes en beurrant bien chaque feuille.

4 Répartir la garniture sur cette base et couvrir avec les feuilles de pâte restantes en enduisant chacune de beurre fondu et en repoussant bien le bord des feuilles vers l'intérieur du plat contre les parois. À l'aide d'un couteau tranchant, inciser la surface en 6 losanges.

5 Cuire au four préchauffé 40 minutes à 190 °C (th. 6-7), jusqu'à ce que la tourte soit dorée. Servir chaud ou froid.

tortilla espagnole

ingrédients

POUR 8 À 10 PARTS

125 ml d'huile d'olive

600 g de pommes de terre,
pelées et coupées en fines
rondelles

1 gros oignon, finement
émincé

6 gros œufs

sel et poivre

brins de persil plat frais,
en garniture

méthode

1 Dans une poêle de 25 cm de diamètre,
chauffer l'huile à feu vif, réduire le feu et ajouter
les pommes de terre et l'oignon. Cuire 15 à
20 minutes, jusqu'à ce que les pommes
de terre soient tendres.

2 Dans une terrine, battre les œufs, saler et
poivrer. Transférer les pomme de terre et l'oignon
dans une passoire disposée sur une terrine
résistant à la chaleur et égoutter en réservant
l'huile de cuisson. Incorporer délicatement
aux œufs et laisser reposer 10 minutes.

3 Rincer la poêle, ajouter 4 cuillerées à soupe
de l'huile réservée et chauffer à feu moyen
à vif. Répartir l'omelette en couche uniforme.

4 Cuire 5 minutes en secouant souvent la poêle,
jusqu'à ce que la base ait pris. Détacher les
bords de la tortilla à l'aide d'une spatule,
retourner une grande assiette sur la poêle et
renverser le tout.

5 Chauffer 1 cuillerée à soupe de l'huile réservée
et glisser la tortilla dans la poêle, face cuite vers
le haut. Cuire encore 3 minutes, jusqu'à ce
que les œufs aient pris et que la tortilla soit
dorée. Retirer du feu, glisser la tortilla sur
un plat de service et laisser reposer 5 minutes.
Couper en parts, garnir de brins de persil
et servir chaud ou à température ambiante.

salade de poivrons grillés

ingrédients

POUR 8 PERSONNES

3 poivrons rouges

3 poivrons jaunes

5 cuil. à soupe d'huile d'olive
vierge extra espagnole

2 cuil. à soupe de vinaigre
de xérès ou de jus
de citron

2 gousses d'ail, hachées

1 pincée de sucre

sel et poivre

1 cuil. à soupe de câpres

8 petites olives noires
espagnoles

2 cuil. à soupe de marjolaine
fraîche hachée, plus
quelques brins pour garnir

méthode

1 Mettre les poivrons sur une grille et passer au gril 10 minutes à chaleur maximale en les retournant souvent, jusqu'à ce que la peau noircisse et se plisse.

2 Transférer les poivrons dans un sac en plastique ou mettre dans une terrine et couvrir d'un torchon humide. Laisser reposer 15 minutes, jusqu'à ce qu'ils soient assez tièdes pour être manipulés.

3 À l'aide d'un couteau tranchant, inciser la base des poivrons et réserver le jus qui s'en écoule. Retirer délicatement la peau noircie avec les doigts. Couper les poivrons en deux, retirer la tige et les membranes, et épépiner. Couper en lanières et répartir sur un plat de service.

4 Mélanger le jus des poivrons réservé, l'huile d'olive, le vinaigre de xérès, l'ail et le sucre, saler et poivrer. Battre le tout et arroser les poivrons.

5 Parsemer les poivrons de câpres, d'olives et de marjolaine hachée, garnir de brins de marjolaine et servir à température ambiante.

salade à la grecque

ingrédients

POUR 4 PERSONNES

4 tomates, coupées
en quartiers

1 oignon, émincé

1/2 concombre, émincé

225 g d'olives kalamata,
dénoyautées

225 g de féta, coupée en dés
(poids égoutté)

2 cuil. à soupe de feuilles de
coriandre fraîche

persil plat frais, en garniture

pain pita, en accompagnement

sauce

5 cuil. à soupe d'huile d'olive
vierge extra

2 cuil. à soupe de vinaigre
de vin blanc

1 cuil. à soupe de jus
de citron

1/2 cuil. à café de sucre

1 cuil. à soupe de coriandre
fraîche hachée

sel et poivre

méthode

1 Pour la sauce, mettre l'huile, le vinaigre,
le jus de citron, le sucre et la coriandre dans
une terrine. Saler, poivrer et bien battre le tout.

2 Ajouter les tomates, l'oignon, le concombre,
les olives, la féta et la coriandre. Mélanger
le tout, répartir dans des assiettes et garnir
de persil frais. Servir accompagné de pain pita.

taboulé

ingrédients

POUR 4 PERSONNES

175 g de boulghour

3 cuil. à soupe d'huile d'olive
vierge extra

4 cuil. à soupe de jus
de citron

sel et poivre

4 oignons verts

1 poivron vert, épépiné
et coupé en lanières

4 tomates, concassées

2 cuil. à soupe de persil frais
haché

2 cuil. à soupe de menthe
fraîche hachée, un peu
plus pour garnir

8 olives noires, dénoyautées

méthode

1 Dans une terrine, mettre le boulghour, couvrir d'eau froide et laisser reposer 30 minutes, jusqu'à ce que les grains aient doublé de volume. Égoutter en pressant bien de façon à exprimer l'excédent d'eau. Répartir les grains sur du papier absorbant et sécher.

2 Transférer le boulghour dans un saladier. Mélanger l'huile d'olive et le jus de citron, saler et poivrer. Arroser le boulghour du mélange obtenu et laisser mariner 1 heure.

3 À l'aide d'un couteau tranchant, hacher finement les oignons verts. Ajouter les oignons verts, le poivron, les tomates, le persil et la menthe dans le saladier, et bien mélanger le tout. Parsemer d'olives, garnir de menthe hachée et servir immédiatement.

desserts
& petits gâteaux

Le secret du régime méditerranéen et de sa contribution à une longue vie saine réside peut-être dans le respect d'un équilibre. Aux côtés des fantastiques ingrédients qui contribuent à protéger le cœur, il reste un peu de place pour quelques péchés mignons !

Le pain est cuit tous les jours : pain aux olives et aux tomates séchées et mini focaccia escorteront tous les mets possibles et imaginables, allant du simple poisson bouilli aux matelotes les plus relevés, tandis que les biscuits aux noix et à la féta deviendront d'excellentes partenaires pour les salades.

Et qu'il y a-t-il pour les becs sucrés ? Toutes sortes de bonnes choses ! Les gâteaux et les desserts méditerranéens tirent merveilleusement parti des ingrédients régionaux, comme les noix et les agrumes. Testez le gâteau marocain aux oranges et aux amandes, la tarte aux amandes ou la tarte au citron. Les crèmes glacées et les desserts frais viennent nous rafraîchir au cœur des étés torrides : la crème glacée à la pistache, le gâteau sicilien, et le sorbet au citron et cava sont aussi subtils que le gâteau glacé aux amandes est divin.

Si vous vous inquiétez de votre tonus cardiovasculaire, vous appréciez les abricots rôtis au miel et les figues grillées au sabayon.

pain aux tomates séchées & aux olives

ingrédients

POUR 4 PERSONNES

400 g de farine, un peu plus
pour saupoudrer

1 cuil. à café de sel

1 sachet de levure de
boulanger déshydratée

1 cuil. à café de sucre roux

1 cuil. à soupe de thym frais
haché

200 ml d'eau chaude,
chauffée à 50 °C

4 cuil. à soupe d'huile d'olive,
un peu plus pour graisser

50 g d'olives noires,
dénoyautées et hachées

50 g d'olives vertes,
dénoyautées et hachées

100 g de tomates séchées
au soleil à l'huile,
égouttées et hachées

1 jaune d'œuf, battu

méthode

1 Dans une terrine, mettre la farine, le sel et la levure, incorporer le sucre et le thym, et creuser un puits au centre. Verser progressivement l'huile et l'eau sans cesser de remuer jusqu'à obtention d'une pâte souple. Incorporer les tomates séchées au soleil et les olives, pétrir 5 minutes et façonner une boule. Huiler une autre terrine, mettre la pâte dans la terrine et couvrir de film alimentaire. Laisser lever 1 h 30 près d'une source de chaleur, jusqu'à ce que la pâte ait doublé de volume.

2 Fariner une plaque. Pétrir légèrement la pâte, couper en deux et façonner deux ovales. Mettre sur la plaque, couvrir de film alimentaire et laisser lever encore 45 minutes près d'une source de chaleur, jusqu'à ce que la pâte ait doublé de volume.

3 Pratiquer 3 incisions en biais sur chaque ovale, dorer à l'œuf battu et cuire au four préchauffé 40 minutes à 200 °C (th. 6-7), jusqu'à ce que le pain soit bien cuit. La base tapotée doit rendre un son creux. Transférer sur une grille et laisser complètement refroidir.

mini focaccias

ingrédients

POUR 4 PERSONNES

350 g de farine

1/2 cuil. à café de sel

7 g de levure de boulanger
déshydratée

2 cuil. à soupe d'huile d'olive,
un peu plus pour graisser

250 ml d'eau tiède

100 g d'olives vertes ou
noires dénoyautées,
coupées en deux

garniture

2 oignons rouges, émincés

2 cuil. à soupe d'huile d'olive

1 cuil. à café de gros sel

1 cuil. à soupe de feuilles
de thym, hachées

méthode

1 Dans une terrine, tamiser la farine et le sel,
ajouter la levure et incorporer l'huile et l'eau
de façon à obtenir une pâte souple. Sur un plan
fariné, pétrir la pâte 5 minutes. Il est possible
de réaliser ces opérations dans un robot
de cuisine équipé d'un crochet pétrisseur.

2 Mettre la pâte dans une terrine huilée, couvrir
et laisser reposer 1 heure à 1 h 30 près
d'une source de chaleur, jusqu'à ce que la pâte
ait doublé de volume. Pétrir de nouveau 1 à
2 minutes.

3 Incorporer la moitié des olives, diviser
en quatre et façonner en ronds. Mettre sur
une plaque huilée et bosseler la surface
avec les doigts.

4 Répartir les olives restantes et les oignons
sur les ronds, arroser d'huile et parsemer
de thym et de gros sel. Couvrir et laisser
reposer 30 minutes.

5 Cuire au four préchauffé 20 à 25 minutes
à 190 °C (th. 6-7), jusqu'à ce que les focaccias
soient dorées. Transférer sur une grille, laisser
tiédir et servir.

biscuits à la féta
& aux noix

ingrédients

POUR 38 BISCUITS

40 g de cerneaux de noix

115 g de farine

sel et poivre

115 g de beurre

115 g de féta

œuf battu, pour dorer

méthode

1 Dans un robot de cuisine, mettre les noix, hacher finement et retirer du robot de cuisine. Réserver.

2 Ajouter la farine, du sel et du poivre dans le robot de cuisine. Couper le beurre en dés, ajouter à la farine et mixer par intermittence jusqu'à obtention d'une consistance de chapelure. Râper la féta dans le robot de cuisine, ajouter les noix et mixer rapidement jusqu'à obtention d'une pâte.

3 Sur un plan fariné, abaisser finement et couper des ronds à l'aide d'un emporte-pièce de 6 cm de diamètre. Mettre sur une plaque et dorer à l'œuf battu.

4 Cuire au four préchauffé 10 minutes à 190 °C (th. 6-7), jusqu'à ce que les biscuits soient dorés. Transférer sur une grille et laisser refroidir.

5 Conserver dans un récipient hermétique.

sablés à la grecque

ingrédients

POUR 24 SABLÉS

225 g de beurre,
    en pommade
55 g de sucre glace
1 jaune d'œuf
1 cuil. à soupe d'ouzo
    ou de cognac
350 g de farine
115 g de poudre d'amande
sucre glace, pour décorer

méthode

1 Dans une jatte, battre le beurre en crème avec le sucre glace et incorporer le jaune d'œuf, l'ouzo, la farine et la poudre d'amande. Mélanger jusqu'à obtention d'une pâte souple et ferme. Pétrir légèrement.

2 Diviser la pâte en 24 portions et façonner chacune en boule puis en boudin de 7,5 cm de long. Enrouler chaque boudin autour de l'index de façon à les incurver. Répartir sur une plaque en les espaçant bien de sorte qu'ils puissent s'étendre à la cuisson.

3 Cuire au four préchauffé 15 minutes à 180 °C (th. 6), jusqu'à ce que les sablés soient légèrement dorés et fermes au toucher. Tamiser le sucre glace dans un plat.

4 Laisser les sablés tiédir et répartir en une seule couche dans le plat. Couvrir de sucre glace et laisser reposer 3 à 4 heures. Conserver dans un récipient hermétique rempli de sucre glace.

biscuits aux amandes

ingrédients

POUR 60 BISCUITS

150 g de beurre
 à température ambiante,
 un peu plus pour graisser

150 g de sucre en poudre

115 g de farine

25 g de poudre d'amande

1 pincée de sel

75 g d'amandes mondées,
 légèrement grillées
 et concassées

zeste finement râpé
 de 1 citron

4 blancs d'œufs

méthode

1 Dans une jatte, battre le beurre en crème avec le sucre, tamiser la farine, la poudre d'amande et le sel dans la jatte et mélanger le tout. Incorporer les amandes concassées et le zeste de citron à l'aide d'une cuillère métallique.

2 Dans une autre jatte, monter les blancs en neige ferme et incorporer à la préparation précédente.

3 Répartir des cuillerées à café de préparation sur un plaque graissée en les espaçant bien. Il sera peut être nécessaire de procéder en plusieurs fois. Cuire au four préchauffé 15 à 20 minutes à 180 °C (th. 6), jusqu'à ce que les bords soient dorés. Transférer sur une grille et laisser refroidir complètement. Conserver jusqu'à une semaine dans un récipient hermétique.

baklava

ingrédients

POUR 4 PERSONNES

150 g de pistaches
    décoquillées, hachées
75 g de noisettes grillées,
    hachées
75 g de noisettes, mondées
    et finement hachées
zeste râpé de 1 citron
1 cuil. à soupe de sucre roux
1 cuil. à café de poudre
    de quatre-épices
150 g de beurre, fondu,
    un peu plus pour graisser
250 g (environ 16 feuilles)
    de pâte filo surgelée,
    décongelée
250 ml d'eau
2 cuil. à soupe de miel
1 cuil. à soupe de jus
    de citron
300 g de sucre en poudre
1/2 cuil. à café de cannelle
    en poudre

méthode

1 Dans une jatte, mettre les pistaches, toutes les noisettes, le zeste de citron, le sucre roux et la poudre de quatre-épices, et bien mélanger. Graisser un moule à manqué de 18 cm de diamètre. Empiler les feuilles de pâte filo, découper selon la taille du moule et couvrir d'un torchon humide.

2 Placer une feuille de pâte filo dans le moule, enduire de beurre fondu et ajouter encore 6 feuilles en beurrant chacune. Répartir un tiers de la garniture, ajouter 3 feuilles en beurrant bien chacune et répéter l'opération deux fois avec la garniture et les feuilles restantes. Couper les trois feuilles supérieures en parts et cuire au four préchauffé 1 heure à 160 °C (th. 5-6).

3 Dans une petite casserole, mettre l'eau, le miel, le jus de citron, le sucre en poudre et la cannelle, porter à ébullition sans cesser de remuer et réduire le feu. Laisser mijoter 15 minutes sans remuer, retirer du feu et laisser refroidir. Sortir le baklava du four, napper de sirop et laisser prendre.

gâteau marocain à l'orange & aux amandes

ingrédients

**POUR 1 GÂTEAU
DE 20 CM DE DIAMÈTRE**

1 orange

115 g de beurre, en pommade,
   un peu plus pour graisser

115 g de sucre en poudre

2 œufs, battus

175 g de semoule

100 g de poudre d'amande

1½ cuil. à café de levure
   chimique

sucre glace, pour décorer

yaourt, en accompagnement

sirop

300 ml de jus d'orange

130 g de sucre en poudre

8 gousses de cardamome,
   pilées

méthode

1 Zester l'orange et presser le jus d'une moitié. Dans une jatte, battre le beurre en crème avec les trois quarts du zeste d'orange et le sucre, et incorporer progressivement les œufs.

2 Dans une autre jatte, mettre la semoule, la poudre d'amande et la levure, mélanger et incorporer la préparation précédente et le jus d'orange. Graisser un moule à manqué de 20 cm de diamètre, chemiser de papier sulfurisé et garnir de la préparation. Cuire au four préchauffé 30 à 40 minutes à 180 °C (th. 6), jusqu'à ce que le gâteau ait levé et que la pointe d'un couteau piquée au centre ressorte sans trace de pâte. Laisser tiédir 10 minutes et démouler.

3 Pour le sirop, mettre le jus d'orange, le sucre et la cardamome dans une casserole, chauffer à feu doux sans cesser de remuer jusqu'à ce que le sucre soit dissous et porter à ébullition. Cuire 4 minutes, jusqu'à obtention d'un sirop.

4 Percer le gâteau encore chaud à l'aide d'une brochette en plusieurs endroits, napper des trois quarts du sirop et laisser prendre 30 minutes. Saupoudrer de sucre glace, parsemer du zeste restant et servir arrosé du sirop restant et accompagné de yaourt.

tarte aux amandes

ingrédients

**POUR 1 TARTE
DE 25 CM DE DIAMÈTRE**

pâte à tarte

280 g de farine

150 g de sucre en poudre

1 cuil. à café de zeste
  de citron râpé

1 pincée de sel

150 g de beurre, froid et coupé
  en dés, un peu plus pour
  graisser

1 œuf, légèrement battu

1 cuil. à soupe d'eau froide

garniture

175 g de beurre,
  à température ambiante

175 g de sucre en poudre

3 gros œufs

175 g de poudre d'amande

2 cuil. à café de farine

1 cuil. à soupe de zeste
  d'orange râpé

1/2 cuil. à café d'extrait
  d'amande

sucre glace, pour décorer

crème aigre (facultatif),
  en accompagnement

méthode

1 Pour la pâte, mettre la farine, le sucre, le zeste de citron et le sel dans une jatte et incorporer le beurre avec les doigts jusqu'à obtention d'une consistance de chapelure. Mélanger l'eau et l'œuf, et incorporer progressivement dans la jatte sans cesser de battre à l'aide d'une fourchette. Compacter en boule, mettre au réfrigérateur et laisser reposer 1 heure.

2 Sur un plan fariné, abaisser la pâte de sorte qu'elle ait 3 mm d'épaisseur, foncer un moule à tarte graissé de 25 cm de diamètre et mettre au réfrigérateur encore 15 minutes. Couvrir de papier d'aluminium, garnir de haricots secs et cuire à blanc au four préchauffé 12 minutes à 220 °C (th. 7-8). Retirer les haricots secs et le papier d'aluminium et cuire encore 4 minutes. Sortir du four et réduire la température à 200 °C (th. 6-7).

3 Pour la garniture, battre le beurre en crème avec le sucre jusqu'à ce que le mélange blanchisse, incorporer les œufs un par un, et ajouter la poudre d'amande, la farine, le zeste d'orange et l'extrait d'amande.

4 Répartir la garniture dans le fond de tarte et cuire au four 30 à 35 minutes, jusqu'à ce que la garniture soit dorée et que la pointe d'un couteau piquée au centre ressorte sans trace de pâte. Démouler sur une grille, laisser refroidir et saupoudrer de sucre glace. Servir éventuellement accompagné de crème aigre.

gâteau riche au chocolat

ingrédients

POUR 10 À 12 PERSONNES

100 g de raisins secs

zeste finement râpé et jus
    de 1 orange

175 g de beurre, coupé en dés,
    un peu plus pour graisser

100 g de chocolat à 70 %
    de cacao, brisé
    en morceaux

4 gros œufs, battus

100 g de sucre en poudre

1 cuil. à café d'extrait
    de vanille

55 g de farine

55 g de poudre d'amande

1/2 cuil. à café de levure
    chimique

1 pincée de sel

55 g d'amandes mondées,
    grillées et hachées

sucre glace, pour décorer

méthode

1 Dans un bol, mettre les raisins, ajouter le jus d'orange et laisser tremper 20 minutes. Chemiser de papier sulfurisé un moule à manqué à fond amovible, graisser et réserver.

2 Dans une casserole, mettre le chocolat et le beurre, chauffer à feu moyen sans cesser de remuer jusqu'à ce qu'ils aient fondu et retirer du feu. Laisser tiédir et réserver.

3 Dans une jatte, mettre les œufs, le sucre et la vanille, battre 3 minutes à l'aide d'un batteur électrique jusqu'à ce que le mélange blanchisse, et incorporer le chocolat fondu.

4 Égoutter les raisins s'ils n'ont pas absorbé tout le jus d'orange. Tamiser la farine, la poudre d'amande, la levure et le sel dans la jatte, ajouter les raisins secs, le zeste d'orange et les amandes, et bien mélanger le tout.

5 Répartir la garniture dans le moule, lisser la surface et cuire au four préchauffé 40 minutes à 180 °C (th. 6), jusqu'à ce que la pointe d'un couteau piquée au centre ressorte sans trace de pâte. Laisser tiédir 10 minutes, démouler sur une grille et laisser refroidir complètement. Saupoudrer de sucre glace et servir.

tarte au citron

ingrédients

POUR 8 PERSONNES

300 g de pâte sablée sucrée

zeste finement râpé
de 3 citrons

150 ml de jus de citron
fraîchement pressé
de 3 ou 4 gros citrons

100 g de sucre en poudre

150 ml de crème aigre

3 gros œufs, plus 3 jaunes
d'œufs

sucre glace, pour décorer

méthode

1 Abaisser la pâte et foncer un moule à tarte à fond amovible de 23 cm de diamètre, couvrir de papier sulfurisé et garnir de haricots secs.

2 Cuire à blanc au four préchauffé 10 à 15 minutes à 200 °C (th. 6-7), jusqu'à ce que les bords aient pris. Retirer le papier sulfurisé et les haricots, et cuire encore 5 minutes, jusqu'à ce que la base soit sèche. Sortir du four et réduire la température à 190 °C (th. 6-7).

3 Dans une jatte, mettre le zeste de citron, le jus de citron et le sucre, battre jusqu'à ce que le sucre soit dissous et ajouter progressivement la crème aigre. Incorporer les œufs et les jaunes d'œufs un par un.

4 Répartir la garniture dans le fond de tarte et cuire au four 20 à 30 minutes, jusqu'à ce que la garniture ait pris et soit dorée. Si la pâte ou la garniture brunissent trop vite, couvrir de papier d'aluminium au cours de la cuisson.

5 Démouler, transférer sur un plat de service et saupoudrer de sucre glace.

crèmes brûlées au café

ingrédients

POUR 4 PERSONNES

450 ml de crème fraîche
épaisse

1 cuil. à soupe de café
instantané en poudre

4 gros jaunes d'œufs

100 g de sucre en poudre

2 cuil. à soupe de liqueur
de café

4 cuil. à soupe de sucre
en poudre supplémentaires,
pour décorer

méthode

1 Dans une casserole, mettre la crème fraîche et chauffer à feu moyen à vif jusqu'à ce que de petites bulles apparaissent contre les parois. Incorporer le café, remuer jusqu'à ce qu'il soit dissous et retirer du feu. Laisser complètement refroidir et réserver.

2 Dans un bol, mettre les jaunes d'œufs et le sucre, et battre jusqu'à ce que le mélange blanchisse. Réchauffer la crème au café à feu moyen à vif, incorporer le mélange précédent et ajouter la liqueur de café.

3 Répartir la préparation dans 4 ramequins disposés sur une plaque et cuire au four préchauffé 35 à 40 minutes à 110 °C (th. 3-4), jusqu'à ce que la crème ait légèrement pris.

4 Sortir du four, laisser refroidir complètement et couvrir de film alimentaire. Mettre au réfrigérateur et laisser prendre 4 heures ou une nuit entière.

5 Saupoudrer les crèmes de sucre en poudre et caraméliser au chalumeau ou au gril très chaud. Laisser tiédir quelques minutes jusqu'à ce que le caramel ait pris et servir.

crème catalane

ingrédients

POUR 6 PERSONNES

550 ml de lait entier

1/2 orange avec 2 morceaux
de zeste retirés

1 gousse de vanille, ouverte,
ou $1/2$ cuil. à café d'extrait
de vanille

175 g de sucre en poudre

beurre, pour graisser

3 gros œufs, plus 2 jaunes
d'œufs

méthode

1 Dans une casserole, mettre le lait, le zeste d'orange et la gousse de vanille, porter à ébullition et retirer du feu. Incorporer 85 g de sucre et laisser reposer 30 minutes.

2 Dans une autre casserole, mettre le sucre restant et 4 cuillerées à soupe d'eau, chauffer à feu moyen à vif jusqu'à ce que le sucre soit dissous et porter à ébullition sans remuer jusqu'à obtention d'un caramel doré. Retirer immédiatement du feu et ajouter quelques gouttes de jus d'orange de façon à stopper la cuisson. Répartir dans un moule à soufflé légèrement graissé d'une contenance de 1,25 l.

3 Remettre la casserole contenant le lait sur le feu et porter à ébullition. Dans une jatte, battre les œufs et les jaunes d'œufs, incorporer progressivement la préparation à base de lait sans cesser de battre et filtrer dans le moule.

4 Mettre le moule dans un plat à gratin et verser de l'eau dans le plat de sorte que le moule soit immergé à demi. Cuire au four préchauffé 75 à 90 minutes, jusqu'à ce que la crème ait pris. Retirer le moule du plat et laisser refroidir. Couvrir et mettre au réfrigérateur une nuit. Pour servir, passer une spatule métallique le long des parois du moule et démouler sur un plat de service.

crème glacée à la pistache

ingrédients

POUR 4 PERSONNES

300 ml de crème fraîche
épaisse

150 g de yaourt

2 cuil. à soupe de lait

3 cuil. à soupe de miel grec

colorant vert

50 g de pistaches
décortiquées non salées,
hachées

praliné
à la pistache

huile, pour graisser

150 g de sucre cristallisé

3 cuil. à soupe d'eau

50 g de pistaches
décortiquées non salées,
laissées entières

méthode

1 Réduire la température du congélateur
au minium. Dans une jatte adaptée à la
congélation, mettre la crème fraîche, le yaourt,
le lait et le miel, mélanger et incorporer quelques
gouttes de colorant vert. Mettre 1 à 2 heures
au congélateur sans couvrir jusqu'à ce que
les bords commencent à prendre. Battre
à l'aide d'une fourchette jusqu'à obtention
d'une consistance souple et incorporer les
pistaches. Couvrir et remettre au congélateur
2 à 3 heures, jusqu'à ce que la préparation
soit bien ferme. Il est possible d'utiliser une
sorbetière et de procéder selon les instructions
du fabricant.

2 Pour le praliné, huiler une plaque. Dans une
casserole, mettre le sucre et l'eau, et chauffer
sans cesser de remuer jusqu'à ce que le sucre
soit dissous. Porter à ébullition et laisser mijoter
6 à 10 minutes sans remuer, jusqu'à obtention
d'un caramel légèrement doré.

3 Retirer du feu, incorporer les pistaches entières
et répartir immédiatement sur la plaque de
façon homogène. Laisser prendre 1 heure dans
un endroit frais, transférer dans un sac en
plastique et briser à l'aide d'un marteau.

4 Environ 30 minutes avant de servir, retirer
la crème glacée du congélateur et laisser
reposer à température ambiante, jusqu'à ce
qu'elle soit souple. Servir parsemé de praliné
à la pistache.

gâteau sicilien

ingrédients

POUR 4 PERSONNES

Génoise

6 œufs, blancs et jaunes
    séparés

200 g de sucre en poudre

85 g de farine levante

85 g de maïzena

garniture

500 g de ricotta

200 g de sucre en poudre

625 ml de maraschino

85 g de chocolat noir, haché

200 g de fruits confits,
    coupés en dés

300 ml de crème fraîche
    épaisse

décoration

cerises confites, angélique
    confite, zestes d'agrumes
    confits et amandes
    effilées

méthode

1 Dans une jatte, battre les jaunes d'œufs avec le sucre jusqu'à ce que le mélange blanchisse. Dans une autre jatte, battre les blancs d'œufs en neige épaisse et incorporer au mélange.

2 Tamiser la farine et la maïzena dans la jatte, mélanger délicatement et répartir le tout dans un moule de 25 cm de diamètre chemisé de papier sulfurisé. Lisser la surface et cuire au four préchauffé 30 minutes à 180 °C (th. 6), jusqu'à ce que la génoise soit souple au toucher. Démouler sur une grille, retirer le papier sulfurisé et laisser refroidir.

3 Pour la garniture, mélanger la ricotta, le sucre et 425 ml de maraschino, incorporer le chocolat et les fruits confits, et bien battre le tout.

4 Couper la génoise en lanières de 1,25 cm d'épaisseur et en utiliser quelques unes pour chemiser la base d'un moule à cake d'une contenance de 900 g.

5 Répartir la garniture dans le moule, lisser la surface et couvrir avec les lanières de génoise restantes. Arroser du maraschino restant et mettre au réfrigérateur une nuit. Pour servir, démouler sur un plat de service, fouetter la crème fraîche et enrober le gâteau. Décorer de fruits confits et d'amandes effilées.

sorbet au citron et cava

ingrédients

POUR 4 À 6 PERSONNES

3 à 4 citrons

275 ml d'eau

200 g de sucre en poudre

1 bouteille de cava espagnol,
    pour servir

méthode

1 Rouler les citrons sur un plan de travail en pressant bien, de sorte que le jus se presse plus facilement. Prélever quelques lanières de zeste et réserver pour la décoration. Râper finement le zeste de 3 citrons et presser le jus de façon à obtenir 175 ml.

2 Dans une casserole, mettre l'eau et le sucre, et chauffer à feu moyen à vif jusqu'à ce que le sucre soit dissous. Porter à ébullition sans remuer et laisser bouillir 2 minutes. Retirer du feu, incorporer le zeste de citron râpé et laisser reposer 30 minutes.

3 Incorporer le jus de citron, filtrer et verser dans une sorbetière et procéder selon les instructions du fabricant. (À défaut de sorbetière, mettre le tout dans une jatte adaptée à la congélation et congeler 2 heures, jusqu'à ce que les bords commencent à prendre. Transférer dans une autre jatte, battre et remettre au congélateur. Répéter l'opération deux fois). Environ 10 minutes avant de servir, retirer le sorbet du congélateur de sorte qu'il s'attendrisse.

4 Servir dans des coupes, garni de lanières de zeste de citron et arrosé de cava bien frais.

gâteau glacé aux amandes & sa sauce au chocolat

ingrédients

POUR 4 À 6 PERSONNES

175 g d'amandes blanchies

300 ml de crème fraîche
épaisse

$^{1}/_{4}$ de cuil. à café d'extrait
d'amande

150 ml de crème fraîche
légère

55 g de sucre glace

sauce au chocolat chaud

100 g de chocolat noir, cassé
en morceaux

3 cuil. à soupe de sirop
de maïs

4 cuil. à soupe d'eau

25 g de beurre, coupé en dés

$^{1}/_{4}$ de cuil. à café d'extrait
de vanille

méthode

1 Répartir les amandes sur une plaque et cuire au four préchauffé 7 à 10 minutes à 200 °C (th. 6-7), en remuant de temps en temps, jusqu'à ce qu'elles soient grillées. Transférer sur une planche à découper et laisser refroidir. Hacher une moitié et moudre l'autre.

2 Fouetter la crème fraîche épaisse, incorporer l'extrait d'amande et la crème fraîche légère, et ajouter le sucre en trois fois sans cesser de fouetter. Transférer dans une sorbetière et congeler. Un peu avant que la crème glacée ait totalement pris, transférer dans une jatte et incorporer les amandes hachées. Répartir dans un moule à cake d'une contenance de 450 g, lisser la surface et envelopper de papier d'aluminium. Mettre au congélateur au moins 3 heures.

3 Pour la sauce, mettre le chocolat, le sirop et l'eau dans une jatte résistant à la chaleur, faire fondre le tout au bain-marie et incorporer le beurre et l'extrait de vanille.

4 Plonger la base du moule dans de l'eau bouillante, démouler et enrober des amandes moulues. Couper en 8 à 12 parts à l'aide d'un couteau tranchant, répartir sur des assiettes à dessert et napper de sauce au chocolat.

crèmes au mascarpone

ingrédients

POUR 4 PERSONNES

115 g de biscuits amarettis,
émiettés

4 cuil. à soupe d'amaretto

4 œufs, blancs et jaunes
séparés

55 g de sucre en poudre

225 g de mascarpone

amandes effilées grillées,
pour décorer

méthode

1 Dans une jatte, mettre les miettes de biscuits, ajouter l'amaretto et laisser tremper.

2 Battre les jaunes d'œufs avec le sucre jusqu'à ce que le mélange blanchisse, incorporer le mascarpone et les miettes de biscuits.

3 Battre les blancs d'œufs en neige ferme, incorporer progressivement à la préparation précédente et répartir le tout dans 4 coupes à glace. Mettre au réfrigérateur 1 à 2 heures, parsemer d'amandes effilées et servir immédiatement.

crème dessert au chocolat

ingrédients

POUR 4 À 6 PERSONNES

175 g de chocolat à 70 %
de cacao, cassé
en morceaux

1½ cuil. à soupe de jus
d'orange

3 cuil. à soupe d'eau

2 cuil. à soupe de beurre,
coupé en dés

2 œufs, blancs et jaunes
séparés

⅛ de cuil. à café de crème
de tartre

3 cuil. à soupe de sucre
en poudre

6 cuil. à soupe de crème
fraîche

praliné
pistache-orange

huile de maïs, pour graisser

55 g de sucre en poudre

55 g de pistaches
décortiquées

zeste finement râpé
de 1 orange

méthode

1 Dans une casserole, mettre le chocolat, le jus d'orange et l'eau, chauffer à feu doux sans cesser de remuer jusqu'à ce que le chocolat ait fondu. Retirer du feu, ajouter le beurre et remuer jusqu'à ce qu'il ait fondu. Transférer dans une jatte, incorporer les jaunes d'œufs battus et laisser refroidir.

2 Battre les blancs en neige ferme avec la crème de tartre, incorporer le sucre, 1 cuillerée à soupe à la fois, en battant bien après chaque ajout, jusqu'à obtention d'une meringue brillante. Incorporer 1 cuillerée à soupe de meringue à la préparation précédente et ajouter la meringue restante.

3 Dans une autre jatte, fouetter la crème fraîche, incorporer à la préparation et répartir le tout dans des coupes à dessert ou un grand plat de service. Couvrir de film alimentaire, mettre au réfrigérateur et laisser reposer 4 heures.

4 Pour le praliné, graisser une plaque et réserver. Dans une casserole, mettre les pistaches et le sucre, chauffer à feu moyen jusqu'à ce que le sucre soit dissous et remuer jusqu'à obtention d'un caramel et que les pistaches commencent à éclater. Verser immédiatement sur la plaque, parsemer de zeste d'orange et laisser prendre. Hacher grossièrement et garnir les crèmes au chocolat.

tiramisu au chocolat & aux cerises

ingrédients

POUR 4 PERSONNES

200 ml de café fort,
   à température ambiante

6 cuil. à soupe de cherry
   brandy

16 biscuits à la cuillère

250 g de mascarpone

300 ml de crème fraîche
   épaisse, légèrement
   fouettée

3 cuil. à soupe de sucre glace

275 g de cerises sucrées,
   coupées en deux
   et dénoyautées

60 g de chocolat, râpé
   ou en copeaux

cerises entières,
   en décoration

méthode

1 Verser le café et le cherry brandy dans un pichet. Répartir la moitié des biscuits dans un plat de service et arroser de la moitié du mélange précédent.

2 Dans une jatte, mettre le mascarpone, la crème fouettée et le sucre, bien mélanger et répartir la moitié sur les biscuits. Garnir de la moitié des cerises et couvrir avec les biscuits restants. Arroser du mélange à base de café restant, garnir des cerises restantes et répartir le mélange à base de mascarpone restant. Parsemer de copeaux de chocolat, couvrir de film alimentaire et mettre au réfrigérateur 2 heures.

3 Retirer du réfrigérateur, garnir de cerises entières et servir.

figues grillées
au sabayon

ingrédients

POUR 4 PERSONNES

8 figues fraîches, coupées
en deux

4 cuil. à soupe de miel

2 brins de romarin frais,
feuilles retirées
et finement hachées
(facultatif)

3 œufs

méthode

1 Répartir les figues dans un plat allant au four, côté coupé vers le bas, enduire de la moitié du miel et parsemer éventuellement de romarin.

2 Passer au gril préchauffé 5 à 6 minutes, jusqu'à ce que les figues commencent à caraméliser.

3 Pour le sabayon, mettre les œufs et le miel restant dans une jatte résistant à la chaleur, disposer sur une casserole d'eau frémissante et fouetter 10 minutes à l'aide d'un batteur électrique, jusqu'à ce que le mélange blanchisse.

4 Répartir les figues sur des assiettes, garnir de sabayon et servir immédiatement.

abricots rôtis au miel

ingrédients

POUR 4 PERSONNES

beurre, pour graisser

4 abricots, coupés en deux
et dénoyautés

4 cuil. à soupe d'amandes
effilées

4 cuil. à soupe de miel

1 pincée de noix muscade
ou de gingembre en poudre

crème glacée à la vanille,
en accompagnement
(facultatif)

méthode

1 Beurrer un plat allant au four assez grand pour contenir les moitiés d'abricot en une seule couche.

2 Répartir les abricots dans le plat, côté coupé vers le haut, parsemer d'amandes effilées et arroser de miel. Saupoudrer de noix muscade ou de gingembre.

3 Cuire au four préchauffé 12 à 15 minutes à 200 °C (th. 6-7), jusqu'à ce que les abricots soient tendres et les amandes dorées. Sortir du four et servir immédiatement, garni éventuellement de crème glacée à la vanille.

cerises au marsala

ingrédients

POUR 4 PERSONNES

140 g de sucre en poudre

zeste de 1 citron

1 bâton de cannelle de 5 cm

250 ml d'eau

250 ml de marsala

900 g de cerises,
    dénoyautées

150 ml de crème fraîche
    épaisse

méthode

1 Dans une casserole, mettre le sucre, le zeste de citron, le bâton de cannelle, le marsala et l'eau, et porter à ébullition sans cesser de remuer. Réduire le feu, laisser mijoter 5 minutes et retirer le bâton de cannelle.

2 Ajouter les cerises, couvrir et laisser mijoter 10 minutes à feu doux. Transférer les cerises dans une jatte.

3 Remettre la casserole sur le feu, porter à ébullition à feu vif et laisser bouillir 3 à 4 minutes, jusqu'à obtention d'une consistance sirupeuse. Napper les cerises, laisser refroidir et mettre 1 heure au réfrigérateur.

4 Fouetter la crème fraîche, répartir les cerises en sirop dans 4 coupes à dessert et garnir de crème fouettée. Servir immédiatement.